走進寶島看臺灣

文化藏寶圖

作者◆陳馨儀

人類文化

編者序

生長在臺灣這塊土地上，你對這塊土地了解多少？我們的祖先遠渡重洋、跨海來臺，在艱辛的開墾過程中，是否曾留下什麼感人的故事？姐妹潭、日月潭、半屏山這些地名的由來，原來也有故事流傳？

基於想讓孩子更加認識美麗寶島的念頭，我們製作了一系列介紹臺灣的「故事書」，除了用講故事的方式，告訴孩子，臺灣有哪些名人偉人以外，我們更蒐集了許多經典、有趣的民間故事，讓孩子一邊看著我們從小到大都聽過的虎姑婆、在山下賣大餅的老仙人、愛騙人的白賊七、會流出白米的仙洞、懂得報恩的狐狸精、北港孝子釘等故事，一邊對我們臺灣的在地故事、風俗習慣產生興趣，進而逐漸認識臺灣各地的文化。

當孩子對臺灣文化感到興趣時，建議您陪著他閱讀「文化藏寶圖」一書，您會發現，和孩子一起了解平溪放天燈的由來；為什麼臺東人要炮炸寒單爺；為什麼媽祖在臺灣人氣這麼旺；赤崁樓的建築為什麼那麼奇怪；為什麼臺灣會有「總鋪師」這樣的行業……以及原住民文化中，賽夏族為什麼要祭拜矮黑人；雅美人為什麼要舉行飛魚祭……原來是這麼的有趣！

許多故事之所以會流傳，風俗習慣之所以會形成，背後都有著歷史脈絡可循，我們先民披荊斬棘，原住民們靠天吃飯，他們生活的悲、苦、喜、樂，就顯現在這些流傳的故事中，希望您和孩子快樂的閱讀這些傳奇趣聞、在地文化時，也能感受到埋藏其中的珍貴寶藏！

童書主編 陳湄玲

目錄

流傳地區●臺北縣平溪鄉

舉辦日期●農曆一月十五日（元宵節）

滿載願望的天燈

為什麼會有天燈的出現？

每逢元宵節你會做些什麼呢？依照一般中國人的習俗，當然是吃元宵、提燈籠、逛燈會囉！但是，這在臺灣可未必是標準答案。咱們有句俗諺是：「北天燈，南蜂炮。」意思是說，元宵節的祭典中，北部以放天燈最負盛名，南部則以放蜂炮最受歡迎。

所謂「放天燈」，是臺北縣的平溪鄉流傳的一種獨特風俗，人們會在紙糊的大燈籠上，寫下自己的願望，像是「身體健康」、「金榜題名」、「長命百歲」、「歲歲平安」等，然後點上燈火讓它升空飛行。別看它只是一個

簡單的儀式，背後卻隱藏了先民艱辛開墾的故事。現在，我們就要告訴你，關於「天燈」的故事。

從明清時代開始，中國東南沿海連續好幾年都出現旱災和戰爭，天災人禍不斷，讓這一帶的居民幾乎快要活不下去。生活所逼，讓許多人鋌而走險，決定遠離家鄉到臺灣尋找出路。然而，這可不是一件容易的事情！俗稱「黑水溝」的臺灣海峽風浪洶湧不說，幫忙偷渡的人蛇集團「舟子」更是唯利是圖，經常才到半途，就把人丟在海上，成為冤魂。

就算歷經千辛萬苦上了岸，來到了夢想中的臺灣島，下船以後往往發現晚人一步，多數適合耕種的平原早已被先前的移民占據了。正所謂「六死三留一回頭」，這句古老的俗語意思是說，渡海到臺灣的，十個人裡，六個半路死了、三個留下來、一個混不下去又回到故鄉去了。

但是，清朝道光年間，一群來自福建省安溪縣的移民，卻不甘心就這樣認輸，他們決定離開沿海繁榮富庶的平原，往比較沒有人開發的山林發展。只是，島上的山區雖然是官兵管不到的蠻荒地帶，卻有驍勇的原住民在這裡出沒，以及凶狠的山賊在這裡

橫行。可是實在也沒有別的辦法了，大家只好硬著頭皮，一路披荊斬棘。走著、走著，他們來到了臺北縣平溪。這裡的土地崎嶇不平，土壤也不夠肥沃，但幸好山溪水勢平緩，有利於灌溉農作，地理與氣候都和他們家鄉有點相似，於是大家決定在這裡落腳、生根。他們相信只要肯努力，即使是窮山惡水也可以開創美麗新故鄉。

多年以後，這裡果然成為了一個富庶的村落，只是因為交通不便，官兵又鞭長莫及，讓盜匪更加覬覦。每到歲末收成的過年期間，山賊就會來到這裡打劫，將居民整年辛苦的成果一掃而空。

「今年，你家還沒躲上山嗎？」就這樣，每到年節期間，平溪人還沒心情慶祝，一見面就互相提醒，該收拾家中的貴重物品，往更深的山區避一避了，並且留下村中的壯丁來捍衛家園。不過，問題來了！當危機解除，該怎麼通知四散的親友可以放心回家呢？

村裡智慧的長者想起了中國古代，三國時代的「孔明燈」。他說：「想當年，諸葛亮被司馬懿困於平陽時，不知道該怎麼向外界求救，只好製作大型的燈籠，空飄當作求救信。不如，我們也用這種方式來傳遞佳音吧！」從此以後，躲在山中過年的老弱婦孺只要看見天燈訊號，就知道今年的危機解除，可以平安回家了。

治安日漸轉好後，強盜不再出沒，但是放天燈卻成為平溪居民們緬懷早期困苦生活的一種方式。他們會在春節最後一天的元宵節釋放天燈，感謝上蒼賜予一年的豐收與平安，不過，由於白色燈籠過於單調、不夠喜氣，居民又用毛筆沾朱砂寫下願望，希望天燈能載著這些心願，向天神祈福。

四百年後的今天，「平溪放天燈」已經成為北臺灣地區元宵節最熱鬧的慶典了。每年臺北縣政府所舉辦的國際天燈節，都吸引了臺灣各角落，甚至是世界各地的人們，帶著自己的夢想來到這裡。大家選在同一個時刻，將美好的夢想釋放到天空，看著它們愈飛愈高、愈飛愈遠，帶著成千上萬個心願，終於化

為夜空中的繁星點點，這種壯闊祥和的景象，總是讓在場的人感動莫名。

如果有機會，你到平溪放天燈，打算許什麼願望呢？功課好、朋友多、長得高，還是賺大錢？飛向天際的盞盞燈火，燃燒的是先民們汗水與淚水交織的奮鬥故事，它讓我們知道，人類因為夢想而偉大。這，或許才是放天燈真正的意義吧！

文化藏寶圖

【為什麼天燈會飛？】

同樣體積，溫度高的空氣比溫度低的空氣輕，因此在大自然中形成熱空氣上升、冷空氣下降的對流現象。天燈下方的油紙點燃後，會使空氣遇熱向上對流，撐起糊上鐵絲的宣紙，變成一個小型的熱氣球，不斷的飄向天空。一般來說，天燈飛行過一段距離後，因為燃料燒盡就會自己掉落，但也可能因為某些原因在天空自己燃燒起來，可以說不僅釋放時具有危險性，結束後掉落的燈殼成為垃圾也不環保。因此釋放天燈最好在特定時節與地點，配合政府的周邊措施，才不會反而危害到山林或住家的安全！

流傳地區・臺南縣鹽水鎮
舉辦日期・農曆一月十四、十五日（元宵節）

火光四射的蜂炮

傳說鹽水在清朝是個死城？

每到元宵節，臺灣各地的人們，還沉浸在春節的愉悅氣氛中，臺南鹽水這邊已經進入全面備戰的狀態，因為「蜂炮」就要開始燃放啦！

一入夜，鹽水鎮上家家戶戶緊閉門窗，不留下半點空隙，屋裡的人睜著眼珠骨碌碌的往外瞧，觀望著街上的動靜。而大街上早已擠得水洩不通，每個人都全副武裝，安全帽、護目鏡、雨衣、雨鞋、手套，該有的防護一點都不敢少，連領口、袖口的縫隙，也用膠帶貼了起來，像極了穿上防彈衣要去火拼似的。

時間進入倒數，五、四、三、二、一，突然間，整個小鎮彷彿被點燃一般，瞬間火光四射、爆炸聲四起。圍觀的眾人大聲尖叫、躲避，但其實又玩得十分盡興，這就是南臺灣著名的元宵節慶典「鹽水蜂炮」。

相較於前面提的平溪天燈祭典，你可能會覺得奇怪，為什麼鹽水人要用這麼激烈的方式，來慶祝元宵節呢？那是因為，鹽水人所面對的敵人，比起平溪人要應付的原住民還要難纏、恐怖，那就是疾病。

在清朝光緒年間，長達二十幾年的時間裡，鹽水鎮都流傳著一種瘟疫，居民一個接一個的病死，讓外地人害怕得不敢接近，擔心自己一個不小心也

被傳染而斃命。眼看著自己的家鄉，漸漸變成一座死城，從繁榮的河港變為疫區，當地的居民焦心不已，在求助無門之時，他們決定向神明請求一條生路。

鎮上有一間明朝流傳下來的武廟，當時，地方耆老號召眾人，誠心的向武廟所供奉的關聖帝君祈求。關聖帝君就是《三國演義》故事中，和劉備、張飛桃園三結義的關雲長，因為一生盡忠盡義，後人便世世代代以香火祭拜，又被尊稱為「關公」或「關老爺」。據說，關老爺被當時居民的誠意感動，答應在

元宵節當晚出巡，把霸占在鎮上，不願意離開的邪魔惡靈驅逐出境。於是，人們在那天晚上準備各種民俗陣頭，好迎接出巡隊伍，並尾隨神明行進的路線，大面積的燃放炮竹，幫關老爺營造威赫的氣勢。就這樣，驅魔的儀式持續了一整個晚上，說也奇怪，過了不久，瘟疫就真的在鎮上絕跡了！

因此，對於關公神威深深信服的百姓們，每逢元宵就會擴大迎神廟會。而且為了讓鞭炮燃放時，更具恫嚇邪魔的威力，鹽水人製造出來的炮竹，會在燃燒時發出尖銳呼嘯的長鳴聲，還會向四面八方亂竄掃射，就好像是蜜蜂傾巢而出，於是當地居民稱它為「蜂炮」，名稱也流傳至今。

事過境遷，現代的醫療技術發達，瘟疫早已不足為懼。不過，蜂炮卻成為臺南鹽水地區最著名的民俗盛會。每年農曆正月十五日元宵節當晚，從六點開始，就會舉行關聖帝君的繞境儀式，神明的隊伍會從古老的武廟出發，信眾與遊客則隨著各路陣頭聚集，在震耳欲聾的鑼鼓聲響中，全面展開令人

為之瘋狂的蜂炮慶典。

每當隊伍經過架著炮城的商家，神轎就會以「三進三退」的儀式謝禮，接著商家主人會撕下罩在炮城外的紅紙，並點燃炮城下方的炮竹引信，然後你就會看到，才一瞬間，蜂炮、花炮以及各式煙火，已經被跳躍的火花啟動，有的如長龍吐霧，有的似銀瀑流洩，也有的像機關槍掃射般，萬箭齊發的

向四周飛竄，將小鎮漆黑的夜空，照耀得像白天一般。整個活動會一直持續到陽光露臉，鹽水小鎮激昂的氛圍才會逐漸平息。

儘管在道教的民間信仰中，商人將蜂炮當作一種求財的儀式。不過，當我們了解鹽水蜂炮的故事後，就會知道那驍勇的蜂炮神兵，不僅用槍林彈雨為居民趕走了瘟疫，更代表了先人在面對大自然時的誠意與謙卑，所以，只要我們能堅定自己的信念，相信以後面對未知的事情時，也能無所畏懼！

文化藏寶圖

【什麼是瘟疫？】

歷史故事裡頭，我們經常聽到所謂的「瘟疫」。你或許會好奇，它到底是一個什麼樣的疾病，怎麼這麼可怕？其實，所謂的「瘟疫」，就是大流行病的統稱，舉凡流行性感冒、鼠疫、肺結核等都是。從現代人的眼光來看，某些疾病或許不足為懼，但是在醫療技術並不發達的古代，小小的傳染病都可能致命，因而往往造成恐慌。

流傳地區・臺東縣
舉辦日期・農曆一月十五日（元宵節）

炸寒單爆破秀

為什麼武財神喜歡被轟炸？

在華人傳統觀念的影響下，大家遇到神明，莫不是敬畏三分。如果不能拈香跪拜，至少也得合掌祭拜。但是，在臺東這個地方，大家卻會在某位神明出巡的時候，把爆竹往祂的身上丟，拼命轟炸祂的乩身。怎麼會這樣呢？

原來，這位被炸的神明是「寒單爺」，大家相信只要拼命往祂身上轟炸，火力愈強大，來年的運氣就會愈旺。「炸寒單」是流傳許久的民間風俗，雖然寒單爺是來自中國的神明，但是這項祭祀活動卻在臺東地區發揚光大，至今已經有五十多年的歷史，而且還成為當地最具特色的文化之一。

那麼，寒單爺是何方神聖呢？坊間流傳著一段祂的故事。很久以前，中國大陸的武當山下住了一位非常窮苦的老人家，名字叫做趙公明。乞食維生的他，平日非常省吃儉用，經常自己餓肚子，卻養了一隻永遠不會叫的狗，以及永遠不會生蛋的母雞。

狗不叫就不能看門，雞不下蛋就只是浪費飼料，附近的孩子經常笑他傻，圍繞著他唱：「趙公公，大傻瓜，大傻瓜……」鄰居們也勸他把狗賣掉，把雞殺來吃，他卻這麼回答：「對我來說，狗跟雞不是畜生，而是相親相

愛的家人，怎麼可以賣掉、吃掉自己的親人呢？」

也許是他的善良感動了老天爺，竟然讓他遇見了千百年難得一見的天文異象。那一天，子時（夜晚十一點到一點）剛過，武當山附近的天空忽然顯現出五彩的霞光，滿山遍野的花也瞬間綻放，散發出從沒有過的迷人香味；遠遠的南方天空，則出現了萬盞燈火，眾神仙排著整齊的隊伍向燈火飛去。趙公明心想：「這該不會就是傳說中，三千年一次的開天門吧？」

聽說開天門的那一剎那，只要跪地誠心祈求，願望必定會應驗。而趙公明窮苦了大半生，當下想到的就是向上蒼祈求金銀財寶，企盼有一生享受不盡的榮華富貴。話才剛說完，還來不及要求子孫滿堂、長命百歲，天門就已經關了，轉瞬間一切又恢復如往常。趙公明環顧四周，根本沒看見什麼金錢或寶藏，便以為自己只是做了一場白日夢。

隔天一早醒來，趙公明照舊準備幫母雞添食物，卻發現這隻老母雞下蛋

了！而且這「雞蛋」可不尋常，是金光閃閃的金蛋呢！趙公明還沒反應過來，又聽見狗叫聲，原來是那隻不會叫的狗也開始吠了，而且每叫一聲，便吐出一錠白銀。靠著金雞蛋與銀元寶，趙公明不但迅速擺脫了貧窮，還成為家財萬貫的巨富。

儘管他用這些錢，幫助了許多人，但是金山銀山的財富，他還是花不完，甚至不知道該怎麼處理。他想：「人家說取之於天地，還之於天地，不然我將這些花不完的錢，還給老天爺好了！」於是他請了八位金匠、銀匠，在一些竹片上貼上金紙，燒給天神，在另外的竹片上貼上銀紙，燒給祖先。這個

行為流傳下來，就成了我們現在燒金紙和銀紙的風俗了。

趙公明富可敵國的財富，引起了歹徒的覬覦，他們趁著夜深人靜，偷偷潛到他家，一把火將他家給燒了，還奪取了金蛋與銀錠。這起大火之後，趙公明的金銀財寶連同狗和母雞就一起消失在世上了。據說，火海中，黑狗變成一隻黝黑的老虎，將歹徒咬死；母雞則成為鳳凰，載著趙公明和八位金匠、銀匠與黑虎一同上天庭受封去了。

趙公明愛惜錢財、樂善好施的精神受到天帝的嘉許，被封為「武財神」，而八位金匠、銀匠則被封為天、地、

人、東、西、南、北、中八路財神，掌管人間的財富。所以古往今來，凡是想要發財的人，都會向武財神祈求財富，而且據說金紙燒得愈多，表示心意愈誠，武財神就會向天祈求賜予財富。

這位武財神，就是我們常說的「寒單爺」。寒單爺不只愛錢，根據民間傳說，祂還非常怕冷，因此每次出巡時，民眾都會把鞭炮丟到

祂身上，為祂驅寒，順便也增添祂的威靈。

在臺東縣，炮轟寒單爺是元宵節很重要的地方慶典。這時，真人裝扮的寒單爺會赤裸著上身，手拿一把榕樹葉保護住臉部，站立在神轎上，接受大家丟擲的鞭炮轟炸；有時候，寒單爺開心起來，還會把一整串的鞭炮，掛在自己的身上引爆。在一片煙霧瀰漫中，寒單爺也有如騰雲駕霧一般，感覺還真的像天降神蹟呢！因此，大家也相信新的一年，只要肯努力工作、付出，寒單爺一定會保佑大家財運亨通的。

文化藏寶圖

寒單爺是流氓神？

民間傳說裡，有人說寒單爺在世的時候是個流氓，專門欺壓百姓、魚肉鄉民。有一天，他得到一位仙人的指點，之後大澈大悟，站在轎子上請大家用鞭炮炸他，直到他死去為止。鄉民們感念此人痛改前非的行為，便尊稱他一聲寒單爺。這是另一個關於「炮炸寒單爺」的由來。

流傳地區‧臺中縣大甲鎮瀾宮
舉辦日期‧農曆三月二十三日

媽祖繞境進香

誰是臺灣人氣最旺的神明？

在臺灣民間信仰的神明中，你知道誰的人氣最旺嗎？不必多想、不用懷疑，答案絕對是「媽祖」。不相信嗎？且看祂慶生的場面多麼浩大。每年農曆三月二十三日左右，全臺灣都會有盛大的慶祝活動。各地媽祖的神像會在這幾天乘轎出巡，一方面巡視自己所管轄的地區，另一方面回

到當初分靈的廟宇進香，就像是出嫁的女兒回娘家一樣。有些媽祖還會自己指示路線，四處去串門子呢！

媽祖神轎所到之處，鑼鼓鞭炮震天的響，信眾們更是萬分虔誠的，有的持香祝禱，有的排隊等著鑽過轎底，以祈求這位天上聖母的特別眷顧；到了晚上，沿路住戶還會準備流水席宴請香客，從白天到黑夜都不會冷場。因為各地媽祖出巡的時間先後及長短不同，熱鬧滾滾的慶祝活動往往可以持續一整個月之久。所以，有人說「三月瘋媽祖」，一點也不為過。

而這位女神究竟是何方神聖呢？約莫公元一千一百年左右的宋朝，福建省濱海的莆田市湄州島上的大善人林愿家中，誕生了一名女嬰，因為她不曾哭鬧，非常的安靜，所以林家為她取名為「默」，大家都叫她「默娘」。

生長在海濱的默娘，對於天文氣象以及水文變化都很熟悉，更有與生俱來的神通。傳說她能渡海，拯救遇難的船隻，還可以預測天氣變化，事先告知人們當天是否可以出航，許多船家都受過她的幫助。十六歲那年，默娘還因為救了海上遇難的父親，更尋回兄長落難的遺體，而贏得了鄉親的讚譽，被認為是下凡渡世的神女，對她十分尊崇和景仰。

儘管二十八歲時，默娘就與世長辭了，但民間傳說，她經常穿著紅衣飛

翔在海上，拯救在海難中垂死掙扎的人，因此，不僅漁民們奉祂為航海之神，百姓更視祂為救苦救難的再生父母，流傳至今便成為人們口中的「媽祖婆」了。

據說，媽祖與大道公都是閩南人，兩人成仙之後常常在東南沿海一帶的上空巡視，發現有船難或瘟疫，就下凡救人。由於時常見面，祂們成了熟識的好朋友，而大道公後來動了凡心，喜歡上媽祖，曾向媽祖求婚，卻被狠狠拒絕，祂又羞又惱，卻怕媽

祖把這事上奏玉皇大帝，不敢翻臉，只好在心中暗暗記上一筆。

媽祖生日出巡那天，大道公認為機會來了，祂施展法術讓天下起大雨，淋得媽祖花容失色。媽祖掐指一算，知道是大道公搞的鬼，於是也在暗中伺機報復，等到隔年大道公生日出巡，便施法刮起大風，把大道公的烏紗帽吹到地上去。大道公與媽祖梁子愈結愈深，此後每逢媽祖生日必定下雨，而大道公生日又必定刮大風，因此有句俗諺說：「媽祖婆雨，大道公風。」由愛生恨的戀情，讓人感到惋惜。值得慶幸的是，媽祖並不孤單，祂還

有兩位得力的左右護法「千里眼」與「順風耳」。祂們原是桃花山上的可怕妖精，經常欺凌附近的居民，不但搶走他們的家產，甚至偷看、偷聽女孩子的一舉一動。有一次，祂們竟然還想戲弄媽祖，吃祂的豆腐，結果當然是不敵媽祖的法力而被收服。「千里眼」可以看到千里之外，順風耳則能聽見四面八方的消息，有了祂們相助，留意需要幫助的人，媽祖更是法力無邊了。

隨著信徒移居各地，今日的媽祖已經不再是局限於福建省的地方神祇，而是海內外華人心靈上共同的寄託。因此，在臺灣每逢媽祖生日出巡，那可是全島關注的大事情！從前半個月開始，廟方就會在媽祖將經過的路線上貼上黃色的「香條」。

所謂「香條」，就是神明專用的告示紙條，好通知信眾神明要繞境的訊息。如果神明決定在某地停留休息，寫著主辦單位以及留駕廟宇的香條就會直貼；如果神明只是經過此地，那麼香條就會指著行進的方向而斜貼。由於

每回媽祖出巡的隊伍都十分龐大，隊伍可以綿延好幾條街，有了香條，便可以通知信徒及早準備，並且避免繞境隊伍迷失了方向。

隨著時代的演進，媽祖繞境已經不只是一種信仰活動了，它更成為代表著臺灣文化的嘉年華會。每一年，在出巡的隊伍裡，不但可以看見各地廟宇出動的轎班，還有許多人會盛裝打扮，以奇異的樣子來吸引大家的目光。媽祖的魅力，果真是凡人無法擋呢！

文化藏寶圖

【為什麼媽祖出巡會下雨？】

媽祖帶來的雨，其實就是臺灣春夏交替時會有的「梅雨」。梅雨是東亞地區獨特的氣候現象，冬季盛行的東北季風和夏季盛行的西南季風，在季節轉換的時間裡相會，因為強度相當，形成了停滯不動的「滯留鋒」，因而帶來了持久而豐沛的雨量，因為此時正是江南梅子成熟的時期，所以又被稱為「梅雨」。別小看這梅雨，如果來遲了，可是會讓臺灣鬧水荒呢！

流傳地區● 屏東縣東港鎮
舉辦日期● 每隔三年的春夏之際

神祕的燒王船

送走瘟疫的幽靈船長什麼樣子？

四面環海，港口眾多的臺灣，可以看到各式各樣的船隻，貨櫃船、漁船、渡輪、小艇……但是，你看過「瘟神」搭乘的幽靈船嗎？

在某些特定的日子裡，黑夜的河港或海港邊，會出現巨大的紙船。船的樣子，比我們白天所見的船隻，都還要豪華上好幾倍，張燈結彩的，船上頭更是畫著許多神仙模樣的人物，非常特殊、耀眼。

不過，如果你不小心遇上了，可別想著要上船去參觀，上頭可是滿載了惡鬼與妖魔呢！等到船身一被火點燃，這些鬼怪就會被神明帶走，放逐到無

垠的大海上。這個暗夜裡出現的神祕活動，就是「王船祭」。

王船祭典是流傳在臺灣漁村的神祕風俗，是民間祭祀千歲王爺的代表儀式。因為人們相信，代天巡狩的王爺，會替大家帶走製造死亡與疾病的鬼怪。而臺灣最具代表性的王船祭，是由屏東東港東隆宮所舉辦的，在當地流傳至今，已經有百年的歷史了。

為什麼當地要舉辦這種神祕的祭祀典禮呢？這要從一位飄洋過海來到臺灣的神明開始說起，祂就是東隆宮供奉的主神——溫府千歲。

這位千歲爺姓「溫」名「鴻」，是隋末唐初時代的人。有一次，唐太宗李世民微服出巡，在途中遇到危險，他帶領一群人救駕，讓李世民平安度過難關。這些有為之士，包括溫鴻一共有三十六人，後來都被皇帝封為進士，還賜彼此義結金蘭，成為好兄弟。

三十六位進士在溫鴻的率領下，繼續為國家效力，陸續剷除了許多地方

盜賊，讓國力大為鼎盛，百姓生活富足。唐太宗因此命令他們四處巡行，宣揚國家的繁榮與富裕。

但是，一次海難，卻讓他們不幸喪生。痛失英才的唐太宗，聽見生還的水手說：「當時海上傳出悅耳的旋律，四周都被祥和的雲氣籠罩了，我想三十六位進士應該是羽化成仙了吧！」他傷心之餘，便採信了這樣的說法。

在古代，天子是神明的凡間代理人，死去的人經過皇帝策封，就能晉身天庭成為神明。唐太宗感念溫王爺等三十六位進士為國家鞠躬盡瘁，於是追封其「代天巡狩」，昭告全國各地建造寺廟來祭祀祂們，更造了一艘巨大豪

華的「溫王船」，裡頭供奉溫王爺與祂結拜兄弟們的神位，在盛大的祈福典禮之後送入海中，任它四處航行。

這艘船上，皇帝親筆提了八個字「遊府吃府，遊縣吃縣」，意思是舉凡溫王船經過的地方，百姓和官員們都要恭敬的迎接，殺豬宰羊、籌設祭典，以告慰溫王爺在天之靈。據說，溫王爺成為神明之後，經常在福建省、浙江省沿海一帶顯現神威，許多遭遇海難的船隻，都會在風浪之中看見掛著「溫」字旗幟的大船出現，之後海面就會風平浪靜，他們也都能平安脫險。

公元一七〇六年，清朝康熙年間，東港的居民在海邊發現了一棵漂流的神木，上面寫著「東港溫記」，他們認為這是溫王爺的神諭，打算在此地濟世救人；於是就匯集了地方人士的力量，建造了一座廟宇，命名為「東隆宮」。

此後，東港的居民們都會用紙，為溫王爺建造華麗的戰艦，好請代天出巡的溫王爺，將凡間的孤魂野鬼與邪魔歪道都趕上

船，而後再將紙船點燃，表示歡送祂們離開。久而久之，燒王船就成為屏東地區最重要的地方盛事了。

每隔三年的春夏之交，東隆宮便會擲筊杯向神明請示日期，然後展開長達一星期的祭祀活動。儀式從海邊的請王上岸開始，這時，信徒們會齊聚在海邊，迎接神明的駕到，接著就是好幾天的繞境活動，最後還會用山珍海味酬謝神明，直到將瘟神請上船焚燒完畢，整個活動才在高潮中宣告結束。

文化藏寶圖

【看王船祭要等三年？】

在曾經流傳瘟疫的華南地區，許多地方都有著相似的送王船、燒王船祭典活動。以臺灣來說，東港以外也有其他地方會舉辦燒王船祭典，而且隨著各河流系統的不同，各地都展現出不同的風貌。如八掌溪流域一帶的燒王船活動，多半是不定期舉辦的，而朴子溪流域則是每年定期舉行。所以，想要親眼見證震撼人心的王船祭典，不一定非等上三年唷！

流傳地區・全省各縣市河川、海口
舉辦日期・農曆五月五日（端午節）

端午節賽龍舟

過端午節和屈原有什麼關係？

在漢人的社會裡，除了春節、中秋節之外，最重要的節日莫過於端午節了！尤其在炎熱的臺灣，老一輩的人總會說，過了農曆五月五日端午節，就表示夏天正式來臨，許多昆蟲毒蛇都開始活動。因此，大家都會忙著喝雄黃酒、佩戴香包、掛菖蒲與艾草、貼五毒符

等。但是，端午節最為人所熟知的活動，還是划龍舟。

為什麼端午節要划龍舟呢？這跟中國名詩人屈原有關。屈原是公元前三百多年，戰國時代的楚國人，才學與膽識都很出眾，是個深謀遠慮的政治家。他原本深受楚懷王的信任，可以直接參與楚國內政、外交上的重大決策，後來卻因為小人的設計陷害，而被流放到江南地區。

壯志未酬、鬱鬱寡歡的屈原，就這樣每天愁苦的四處流浪，不能對君王說的話，只能在詩句中傾吐。他告訴自己：「不要跟那些無恥的人同流合汙，就算跳到水裡餵魚，也絕不能向小人低頭。我的清白節操，絕不能因一點點灰塵而留下汙點。」

公元前二七八年，秦國攻破了楚國的首都郢都。屈原在遠方聽見這個消息，有如晴天霹靂。「國家已經滅亡，自己還有什麼生存的意義？」抑鬱難解的他，就在農曆的五月五日，死意堅決的抱著大石頭，跳進汨羅江而死。

生前就深受百姓愛戴的屈原，堅貞殉國之後更是讓人民心疼。楚國的百姓們哀痛異常，紛紛湧到汨羅江去憑弔屈原。他們划著船到江中尋找屈原的遺體，並以竹葉包裹米飯來餵食魚蝦，希望能讓魚蝦不去吃屈原的身體。日復一日，雖然他們的努力最後還是徒勞無功，划龍舟與包粽子卻成為每逢屈原忌日，紀念他的一種方式。

臺灣是河流遍布的島嶼，各縣市每逢端午節都會舉行划龍舟的競賽，提供各學校或機關團體報名參加。龍舟賽的過程必須遵循古禮，從「龍船製作」、「點睛儀式」、「下水典禮」都有一套非常嚴格的規定。賽前，要進

行「請水神」、「接龍船」、「祭江」的活動；賽後，也有「送水神」、「收龍船」、「謝江」的儀式。這樣隆重的場面，經常吸引不少群眾欣賞，非常的有看頭。

每次比賽由兩艘龍舟相互競爭，龍船的船頭插著紅色三角旗，代表龍的蛇頭，叫做「龍舌旗」，上頭寫著「風調雨順」、「國泰民安」等祈福的字句。參賽人數依主辦單位規定各有不同，但必定會有一人負責打鼓、一人準備搶旗、一人在船尾把舵，其餘的人分別坐

在船隻的兩側把槳划船。

當比賽開始的號令劃破寂靜，選手們立刻配合著鼓手的節拍，整齊的向前划行。震天價響的鑼鼓聲、選手們雄渾的呼喊聲，再加上圍觀群眾的加油聲，讓整個比賽的過程熱鬧無比，驚險又刺激。划龍舟和拔河一樣，除了參加者強健的體魄外，團隊精神才是勝利之鑰。唯有上下一心，才能讓龍舟跑得更快，搶到終點的浮標而獲得勝利。

意義非凡的賽龍舟風俗，不僅在中國與臺灣舉行，也受到日本、韓國、越南等國家的青睞。他們不但會在自己的國家進行比賽，也經常帶隊來臺灣參賽，使得每年臺灣的划龍舟活動，既是熱鬧的在地民俗慶典，更是重要的

國際賽事。

屈原的國家雖然滅亡了，但是他的犧牲沒有白費。世世代代的子孫們，透過划龍舟的方式，體會了團結合作的真諦，把個人的立場放一邊，以共同目標為優先，如此一來，湍急的河水、強勁的對手，都無法阻攔我們。而這，不就是愛國精神最具體的表現嗎？

文化藏寶圖

【划龍舟起源的其他說法】

關於龍舟的由來，坊間還流傳著另一個故事版本。相傳春秋楚國的伍子胥，因為父親和兄長被楚平王所殺，於是幫助吳王闔閭攻打楚國。後來吳王的兒子夫差繼位，接受了越王句踐的求和，伍子胥極力阻止，夫差反賜劍命令他自刎。伍氏不但不怕，還說：「我死之後，把我的眼珠掛在首都的東門，讓我看看越國軍隊如何入城滅吳。」夫差一怒之下，下令將他的遺體投進大江中。由於當時正是五月五日，後人為了感念伍子胥，每年到了這一天都會進行龍舟比賽來祭奠他。

護送城隍爺出巡

流傳地區・臺北市大稻埕

舉辦日期・農曆五月十三日

七爺和八爺是親兄弟嗎？

你或許知道每個地方的縣長或市長被稱為「地方父母官」，但是你知道神明界也有「地方父母神」嗎？

在道教的民間信仰裡，「城隍爺」就是管理地方事務的神明，人們相信有了城隍爺坐鎮，就會風調雨順、國泰民安。因此，在中國，許多地方都有城隍廟。

祭祀城隍爺的風俗，歷史相當悠久。我國儒家經典《易經》和《禮記》都有相關的記載。「城隍」本來只負責守護城市的護城河，僅有天子可以祭

拜，到了公元九〇〇年，五代以後，祂才從自然神明升格轉化為具有人形的神。

民間傳說，城隍爺不但掌管地方的行政，更管理陰間的司法。因此，陽間的檢察官、警察如果遇到難解的案件，也經常會向祂老人家祈求，盼望可以早日破案。還有些人會到城隍廟斬雞頭立誓，以示自己的清白呢！

管理的事情這麼多，總得有許多人來負責執行，因此每回城隍爺在地方上出巡，總有許多官差同行。在這龐大的陣容中，有兩個身影特別顯眼，那就是家喻戶曉的「七爺」與「八爺」。

關於七爺、八爺，有個感人的小故事。七爺又高又瘦，臉色蒼白，吐著

舌頭；八爺身材矮胖，臉色烏黑，表情非常威猛。祂們的本名叫做謝必安與范無救，在世時在衙門當差役，因為心地善良，行為端正，不胡亂抓人，所以很受地方人士尊敬。有一天，兩人又因為衙門的公事出差，當他們行經一座橋的時候，天氣忽然變壞，黑雲密布，眼看一場大雨就要來臨，於是必安跟無救說：「我回去拿雨傘，你在這橋下躲雨等我。」這樣約定之後，必安飛奔回家去拿雨傘，但當他回到家裡的時候，肚子卻莫名其妙的絞痛起來，痛得他臥倒在床上，無法起身。

至於無救，自必安離開以後，始終在約定的橋下等他，可是等來等去卻遲遲不見必安的身影。不久，天空雷聲大作，毛毛細雨變成滂沱大雨，河水

也漸漸的上漲。無救原本想到其他地方去避雨，但想到必安是個重承諾的人，萬一他回來找不到自己，那怎麼辦？於是他決定留在原地，直到必安回來為止。可是，雨愈下愈大，而且河水刻刻在漲，無救的身體也逐漸的浸在水裡了。他只好死命的抱住橋梁，就怕湍急的水流把自己沖走，最後，河水終於漲過了他的頭，把他淹死了。據說，八爺的臉色又黑又凶，就是因為死前在水裡掙扎的關係。

而必安的肚子痛好了之後，非常焦急，他慌忙的起身，拿著雨傘趕到橋邊。那時，河水的水勢已經緩和了，但他看見八爺緊緊抱著橋梁，早已經死

了。必安知道是自己不守信害了他，便也想跳下河，跟八爺一起死，誰知道河水已經退得很淺，他的個子又高，淹不死，只好在附近的樹上上吊自殺。

這事情被天庭的玉皇大帝知道後，玉皇大帝決定派祂們去當城隍老爺的部下，專門捉拿作奸犯科的罪徒，給城隍老爺審判。因為祂們的官階排在文、武二判官，以及金、銀、牛、馬四將軍之後，大家就稱呼祂們為「七爺、八爺」。

城隍爺雖然起源於中國

大陸，但如果想看莊嚴威武的城隍爺，或者是威風凜凜的七爺、八爺，在臺灣也看得到。在臺北迪化街上的「霞海城隍廟」，除了主神城隍爺外，還供奉了城隍夫人、千手觀音、月下老人、義勇公、五營神將、虎爺等約六百尊神像，可以說是麻雀雖小，五臟俱全。眾神之中，姑且不論仙階高低，最顯眼的當然還是城隍老爺的左右護法七爺與八爺。

每年農曆的五月，這裡都有盛大的迎城隍活動，讓城隍在轄區內繞境，祛除邪魔和惡鬼，帶來平安與吉祥。五月一日開始，廟方就會為城隍爺分派各路兵馬，把東、西、南、北、中五營的神兵神將，安置在轄區內的五方鎮守。到了十一、十二日，則是舉行城隍的「暗訪」，也就是突擊檢查，有點像是冥界的「一清專案」。到了五月十三日，才是正式的迎城隍活動。在這一天，眾家神轎、神將、家將團都會出動，各種舞龍、舞獅、繡旗隊、花車、北管樂團、雜技等遊藝隊伍也會參加出巡……

如果你也參加了迎城隍的活動，別忘了拿一份七爺、八爺身上的鹹光餅和黃高錢。傳說，鹹光餅可以去邪治病，黃高錢更可以消災保平安，是城隍爺給大家的祝福呢！

文化藏寶圖

【城隍爺娶老婆】

臺灣民間流傳著一個「城隍娶親」的故事：一對俞氏夫婦，出門回家後，發現女兒小珠無病卻已身亡，女巫告訴他們，城隍爺巡查至此，見小珠秀麗聰明，將小珠帶回去作夫人。因此，傳說城隍爺出巡時，女孩子都不能去看，就是怕被城隍爺看上呢！

流傳地區●基隆地區海濱

舉辦日期●每年農曆七月十四～十五日間的凌晨（中元節）

為亡靈引路的水燈

放水燈和民族械鬥有什麼關係？

在華人的傳統節日裡，你認為哪一天對你來說最重要呢？圍爐團聚的除夕夜、賞月烤肉的中秋節，還是七夕情人節？在臺灣，對很多人來說，最重要的節日便是普渡好兄弟的中元節了。

據說，在這個島嶼上，住滿了許多因為民族械鬥或戰爭而橫死的鬼魂，祂們不是外人，正是你我的祖先。因此，中元節普渡孤魂野鬼之餘，大家也不會忘記以特別的儀式，來紀念自己的先人。這些祭儀多半是在夜晚進行，表面上看來神祕而恐怖，其實都有著精采的故事。像是基隆縣每年所舉辦的

「放水燈」活動，背後就隱藏了一段民族械鬥的恩怨。

清朝時，政府嚴格限制渡臺者的資格，所以大多數的人來到臺灣，沒有妻兒，更沒有什麼家產，甚至沒有遮風避雨的落腳處，只好四處流浪、打零工為生。累了，就跟神明借個地方，睡在寺廟的後殿、偏殿，或是羅漢爺神像的腳下空地，久而久之，大家就稱這些單身無家的人為「羅漢腳」了。

一人飽全家飽的羅漢腳們，年輕氣盛，血氣方剛，喜歡互相稱兄道弟，一

遇到朋友有難，就會相挺到底。再加上來臺謀生的人愈來愈多，水利、地利資源有限的情況下，衝突與摩擦也就愈來愈多。漳州人跟泉州人在移民族群中，是勢力最大的兩個聚落，雖然同樣都來自福建省，卻壁壘分明，井水不犯河水，一旦有人不小心冒犯了對方，雙方就會聚集人馬，大打出手。

公元一八五一年，咸豐元年的八月，在基隆一帶，又發生了一場非常慘烈的族群械鬥，大家都殺紅了眼，血腥衝突愈來愈擴大。眼看著那麼多人橫死街頭，有識之士都非常憂心，在地方人士熱心的奔走之下，終於讓雙方休兵和談。

負責調解的人說：「依我看來，大家這樣拼個你死我活，無非是想為自己的宗親爭個面子。不如利用每年中元普渡時，讓大家用比賽陣頭的方式取代現在這樣打破頭！不知各位意下如何？」大家一聽，都很認同，鄉親們便集資建造了一座老大公廟，用來祭祀械鬥中喪生的亡靈，並約定往後每年的農曆七月十五日，由居住在基隆地區的十一個大姓氏，輪流籌辦普渡祭典。

所謂的「老大公」，意思和「好兄弟」相同。基隆因為位處濱海地區，許多居民都是靠海維生，在海難中喪生的人自然不少，所以每逢中元普渡的時候，就以超渡水中亡魂的形式為主，而獨特「放水燈」的儀式，也就變成最主要的特色了。

為了在水燈活動中出鋒頭，每年中元節前夕，各姓宗親就會砸下重金，絞盡腦汁做出搶眼的水燈，並且把自己的姓氏標在水燈上頭。基隆地區的水燈，因為代表了一整個宗親家族，所以房屋造型的水燈最為常見，也會做得

特別大，甚至可以到一、兩層樓高。美輪美奐的水燈，展示了臺灣在地的糊紙藝術；從農曆七月十四日晚上開始，這些水燈便會繞著附近的市街遊行，互相比美，還會在隊伍中穿插各式陣頭、樂隊、民俗表演來助長聲勢。

繞境完畢之後，這些水燈會被載到預定的海濱，在眾法師的誦經下，點燃並放到水中。據說，水燈在海上漂流的速度愈快、愈遠，

就象徵著這個姓氏鴻運當頭，家族必定會興旺。因此，有的人還會乾脆跳到海中護送水燈前行，不畏懼夜裡的海水冰冷，虔誠的態度令人感動。

放水燈的真正目的，是要為水中的好兄弟們引路，邀請祂們上岸，享用豐盛的普渡美食。然而，對於在地的居民來說，更是要告慰在械鬥中喪生的祖先，時時提醒自己以和為貴。而自從盛大舉辦水燈祭典之後，基隆便不再有宗族間的械鬥，鄰里間的向心力愈來愈強，地方也漸漸繁榮興盛起來。因此，基隆放水燈的儀式，就一代傳一代，成為遠近馳名的中元慶典了。

文化藏寶圖

【房子造型的水燈】

基隆地區釋放的水燈經常都是房子的造型，這是因為宗親會想彰顯自己的姓氏，便刻意以祠堂為造型；另一層含意則是藉著燃燒、放水流的方式，將房子送給居無定所的鬼魂，好讓孤魂野鬼得以安息。

流傳地區●新竹縣新埔鎮

舉辦日期●農曆七月二十日

客家義民祭

為什麼客家人要祭拜義民爺呢？

在民間流傳的鬼故事裡，人之所以會變成鬼，經常是因為含冤而死，做鬼後陰魂不散，只好繼續在陽間遊蕩，危害世人。所以大家往往「聞鬼色變」，甚至還用「好兄弟」來敬稱，免得犯了忌諱。

其實，鬼不一定都是壞的。在臺灣，就有一批愛國愛鄉的好鬼，人們都尊稱祂們為「義民爺」。和善的義民爺，不會出現在驚悚的故事裡，想要親眼見證祂們的存在，不妨走一趟新竹縣的新埔義民廟。每到農曆七月「鬼月」，熱情的客家人，都會在這裡為義民爺，舉辦一場盛大的祭典，好感謝

祂們對於臺灣社會的貢獻呢！

你一定很好奇，義民爺這麼偉大，為什麼會變成鬼呢？而客家人又和祂們有什麼淵源呢？故事要追溯到公元一七八六年，清朝乾隆年間，林爽文高舉著「反清復明」的旗幟，從臺灣的中部造反開始。

這群人之所以會起義，是因為受不了朝廷的苛稅，以及官吏的壓榨。他們私下詛咒這些吃人的狗官「一世官，九世牛，三世寡婦」，意思是當一輩子的官，以後要做九輩子的牛，三輩子的寡婦，才能消除所造的罪孽。

剛開始，叛軍簡直是勢如破竹，短短十天，就攻陷臺中、彰化、新竹、

淡水、鳳山等重要城市。只是這支軍隊雖然師出有名，但組成分子很多都是地痞流氓，他們每攻下一個城鎮，總會燒殺擄掠，反而加深了百姓的痛苦。

為了捍衛自己的家鄉，住在新竹縣新埔鎮的客家人便聚集起來，籌組了一支一千三百餘人的「義民軍」，協助朝廷圍剿林爽文，希望早日平定這一場民亂，讓大家可以安心過日子。

客家子弟原本就有練武強身的習慣，嚴謹的紀律更是遠勝於林爽文旗下的烏合之眾，因此軍隊一出，果然銳不可當，讓戰局

有了關鍵性的扭轉。後來，朝廷派了十萬援軍在鹿港登陸，並且跟義民軍會合，全力圍剿林爽文，不可一世的林爽文也就束手就擒，戰事宣告結束。

不過，在這場一年多的戰爭中，義民軍死傷非常慘重，陣亡的士兵曝屍在異鄉，沒有家人可以為祂們收屍。當時新竹縣有一位士紳名叫林坤，不忍為國捐軀的勇士成為異鄉孤魂，於是把散落各地的遺體、遺骸聚集起來，在新埔鎮為祂們建造了一間「義民廟」。清廷也先後頒發了「義勇」、「懷忠」、「褒忠」三塊匾額褒揚，因此義民廟又稱為「褒忠亭」。

從此以後，祭祀義民爺成為客家信仰中，很重要的一件事情，奉祀義民的廟宇，也就在臺灣多了起來。每到七月鬼門開的時節，大家忙著普渡過路的好兄弟時，也不會忘記為義民爺舉辦盛大的祭典，以豐盛的酒菜，來犒賞這群保家衛國的英魂。

雖然全國的義民廟都有精采的祭祀義民活動，不過歷史最悠久、最受全

國矚目的，還是由新竹新埔義民廟所舉辦的義民祭。每逢這年度盛會，新竹縣的客家聚落總是從村頭動員到村尾，一起共襄盛舉。

活動一開始，會由上千人「挑擔奉飯」的遊行隊伍揭開序幕。這項儀式起源於義民爺出征時，鄉民都會挑著擔子，不辭千里的把食物送到軍隊中，好讓大家吃飽了再打仗。而戰爭結束了，鄉親們仍然捨不得戰死異鄉的義民，便繼續以挑擔奉飯的儀式，來紀念祂們。

由遊行匯聚人氣後，最受矚目的重頭戲，莫過於賽神豬、賽神羊比賽了。一頭頭上千斤的神豬，刻著花紋或裝飾花朵，框在張燈結彩的豬架裡，在廟埕前展示，等待著秤斤論兩，看誰最「夠分量」。神豬比重量，神羊則是比角長，有些飼主還會為羊戴上太陽眼鏡，或幫羊叼根煙斗，打扮出逗趣的造型，好吸引大家的目光呢！

眾多風俗儀式中，義民祭是極少數完全源自於臺灣的祭典，近年來特別受歡迎，甚至還有人提倡「三月全臺瘋媽祖，七月全臺瘋義民」呢！

文化藏寶圖

【麵粉糊的創意神豬】

由於環保意識抬頭，很多人認為把豬養到上千斤，是一種虐待動物的行為。因此，政府近年來大力推廣麵粉、保麗龍、陶土做的創意神豬，以取代傳統不人道的神豬比賽。

驚險刺激的搶孤活動

流傳地區・宜蘭縣頭城鎮

舉辦日期・農曆七月二十九日

史上最驚險的吃飯比賽在哪裡？

你喜歡看大胃王的吃飯比賽嗎？在宜蘭縣的頭城鎮上，每年都會舉辦一場別開生面的吃飯比賽，只不過一般比賽比的是吃得快、吃得多，這兒的比賽卻要看誰身手矯健，最先搶到食物。這個比賽就是驚險刺激的「搶孤」。

「搶孤」是宜蘭一帶獨特的普渡儀式，主要是為了紀念開墾宜蘭地區的第一功臣「吳沙」，並感懷因為開墾這片土地而犧牲的無名英雄們。清朝時，蘭陽平原因為受到中央山脈的阻隔，是臺灣開發較晚的地帶，有很長一段時間都是原住民的勢力範圍。因此，當漢人們打算到這裡開疆闢土時，難

免會和當地的原住民產生衝突，許多英勇壯烈的故事，也就產生了……

乾隆年間，臺灣西部開墾的土地已經達到飽和，許多晚一步到臺灣的移民，根本沒有土地可以耕種。於是，大家開始思考越過中央山脈，到島嶼的另一岸去尋找新天地的可能。公元一七六八年，一個叫林漢生的閩南人首先採取行動，率領一群人到宜蘭開墾，不久卻傳出遇害的消息。大家一聽，嚇得裹足不前，就怕自己成為下一個刀下亡魂。

一直到一七七三年，吳沙從福建省漳浦縣來到臺灣後，漢人對於蘭陽平

原的開墾，才有了新的進展。剛開始，他在淡水、基隆一帶經營小生意，把漢人所產的布匹、鹽、糖、刀之類的物品賣給原住民，再換回山產、鳥獸以及木材等物品賣給漢人；一來一往之下利潤非常可觀，因此很快就累積了一大筆財富。

因為生意上的往來，吳沙很快就跟原住民打成一片，還娶了原住民當妻子。他發現，原住民並不像傳說中那樣蠻橫、不講

道理，只要秉持著對等互惠的原則，就能跟原住民溝通、交易，甚至是做朋友。因此，他決定要試著用和平的方式，將開墾的觸角伸向宜蘭地區。

吳沙採取步步為營的方式，先在宜蘭的外圍地帶開墾，累積自己的基礎與實力。等到一七九六年，他認為時機已經成熟，便率領了幾百人的隊伍，依循著水路在當時名為「烏石」的港口登陸。因為這裡是第一個根據地，所以他們稱這裡為「頭圍」，後來改稱「頭城」，這也是宜蘭縣頭城鎮鎮名的由來。

剛開始他們開墾的範圍並沒有很大，和原住民彼此間也就相安無事。但是隨著漢人們源源不絕的湧入，人數超過了千人，原住民也開始緊張了，便展開絕地大反攻，與漢人爆發嚴重衝突。

劍拔弩張的情勢，一直到一七九七年才有了轉機。當時，有海盜想占領蘭陽平原，使得原住民非常害怕。吳沙趁這個機會和原住民結盟，重新進入

頭圍，一起抵抗海盜的入侵。

不久，原住民部落裡又爆發傳染病，吳沙更親自採了草藥，送到山上去給原住民服用。從此之後，漢人和蘭陽平原的噶瑪蘭族化解了僵局，建立了互信互賴的關係。在這樣的基礎下，雙方便合力開墾土地，蘭陽平原也就日漸繁榮了起來。

艱辛的開墾過程，讓宜蘭這塊土地上的漢人子孫，特別懂得感恩。一直到今天，每年農曆七月的普渡期間，宜蘭人都會特地選在「頭城」這個別具意義的地點，以紀念大英雄吳沙為名，舉行搶孤儀式。

「搶孤」是源自福建省的一種活動。所謂「孤」，指的是救濟貧窮人的

物品。在福建一帶的習俗中，人們習慣將中元節祭拜完的供品，分送給需要的窮人，因此普渡的祭品也叫做「孤品」。由於發送孤品的時候，經常發生推擠的衝突，為了避免進一步的紛爭，便設計出公平競爭的「搶孤」比賽。

比賽進行的方式，是以四根約十三公尺的木頭作為支柱，架設孤棚臺，並在上頭放置祭品。等到比賽開始的鑼聲響起，參賽隊伍就要各憑本事向上攀爬。因為每個柱子上都抹了厚厚的牛油，單憑個人的力量根本無法抓住柱子，所以在此起彼落的加油聲中，你可以看見參賽的隊員們互相合作，試著

以各種方式來疊羅漢，把負責搶孤的隊員頂到最省力的攀爬高度。

當然，惱人的牛油往往讓參賽者腳底一滑，整票人跌坐在一起。儘管四腳朝天，惹得觀眾哈哈大笑，他們還是會奮力把彼此扶起來，繼續打拼，直到有隊伍勝出為止。其實，是否搶到了供品或食物，已經不是最重要的事情了，這個活動讓大家學習如何發揮團隊力量，不顧一切爭取勝利，相信這也是吳沙要給我們的最大啟示，你說是嗎？

文化藏寶圖

【蘭陽平原的傳說】

傳說海龍王最疼愛的女兒叫做噶瑪蘭公主，她和英俊勇猛的戰將龜山將軍私定終身，惹惱了同樣很愛慕公主的蛇將軍，因為嫉妒，他便向龍王告密。龍王為了維護傳統禮法，只得忍痛將公主監禁，並將龜山大將驅逐於外海。從這時起，公主便成了沉默不語的蘭陽平原，盼望著龜山將軍歸來。

建築位置 ● 臺南市安平區
建造時間 ● 公元一六三四年

歷史最悠久的城堡——安平古堡

為什麼荷蘭人要遠渡重洋來臺灣？

臺南市安平地區有一座「安平古堡」，是臺灣歷史最悠久的城堡。雖然它現在的外牆看得出由紅磚砌成的斑駁牆面，城牆上也爬滿了老榕樹的樹根，似乎滿是「古意」，但不特別說的話，實在很難想像它有什麼了不起的地方。實際上，這裡是臺灣近代歷史的開端，時間可以追溯到三百多年前。

當時，歐洲的荷蘭人乘著帆船，繞過大半個地球來到臺灣，他們發現這座島嶼不僅美麗，更是非常適合當作和中國做生意的基地，便想長久占領它。於是，公元一六二四年，明朝的熹宗皇帝時期，荷蘭人在臺南安平興建

了一座名為「熱蘭遮城」的城堡，也就是後來我們所熟知的「安平古堡」。

你可能覺得奇怪，為什麼荷蘭人要遠離自己的家鄉，千里迢迢來到這個太平洋上的孤島呢？因為當時的西歐，興起了一股中國熱，貴族王室們認為，使用來自中國的物品，是一種身分與品味的象徵。特別是瓷器，靈巧的曲線、輕薄的造型、繽紛的釉彩，如果以指甲輕輕敲擊，還能夠聽到清脆的聲響，簡直讓歐洲人為之神魂顛倒。

有一回，荷蘭的船隻在海上搶劫了

葡萄牙籍、從中國回航的商船，得到一批來自江西景德鎮的頂級瓷器，運回它的首都阿姆斯特丹，並且舉行了一場拍賣會。這批寶物，吸引了來自英國、法國、西班牙等歐洲皇室與貴族成員，拍賣當天，會場座無虛席，可以說是轟動了整個歐洲。

當然，也震撼了荷蘭人的心靈！因為荷蘭人發現，賣中國瓷器真是一門穩賺不賠的生意。因此，在歐洲人紛紛向外尋找貿易對象與基地，葡萄牙人占領了澳門，西班牙人占領了菲律賓之後，荷蘭人也決定要效法他們，在亞洲尋找一個貿易轉運站，作為和中國交

易往來的基地。

一開始，他們屬意澎湖，認為無論位置或面積，它都是一個不二之選。所以，一六二二年，荷蘭的官方貿易組織「荷屬東印度公司」占領了澎湖，並在島上建築防禦工事，準備長期駐守。不料，這個動作引來了明朝軍隊的頑強抵抗，雙方激戰了八個月都沒有結果，最後只好達成協議，荷蘭人退出澎湖，明朝則默許他們進駐臺灣。

同年，荷屬東印度公司便從安平登陸，占領臺灣，臺灣從此成為荷蘭前進東亞的根據地。當時安平附近住了一些原住民，都被荷蘭人給趕走，而為了防止原住民來攻擊，同時抵禦海上的強敵，荷蘭人決定在臺灣興建堅固的堡壘。

這個巨大的興建工程，從一六二四年動工到一六三四年，歷經了十年才完工。城堡可以分成內、外兩城，走過了外城的城牆，內城還有三層，地上

有兩層，地下則還有一層倉庫，結構相當龐大。而這個雄偉的城堡，荷蘭人叫它「熱蘭遮城」，「熱蘭遮」在荷蘭文的意思是「海關」。

因為設計規劃得很完整，熱蘭遮城不但具有軍事機能，還有辦公、居住的功能，當時，許多對中國的商業貿易事務，都是在這裡處理完成的。天生

具有生意細胞的荷蘭人，還不只是單純的進行瓷器買賣，他們會在城裡自己設計產品，構想出更符合歐洲人需求的器皿，然後用木頭製作出模型，再送到中國的景德鎮生產，最後運送回歐洲販賣，來創造比單純瓷器買賣更高的利潤。

不過，荷蘭人的瓷器生意，沒辦法長久的延續下去，因為他們遇到了「開臺始祖」鄭成功！一六六二年，明朝已經被清朝滅亡了一段時間，這時，一直想恢復明朝的鄭成功，選中了臺灣作為反清復明的基地，他率軍從鹿耳門登陸，最後擊敗了荷蘭人，終結了荷蘭人在臺灣三十八年的統治。鄭成功來到臺灣後，取消了「熱蘭遮城」的稱謂，將它改名為「安平城」，並且居住在這裡，所以這兒又被稱為「王城」。

清朝治臺時，因為統治中心向內地移動，安平城變成儲藏軍火的地方，有一次，英軍前來侵犯，這個軍火庫不幸被引爆，也就被炸成了廢墟。日治

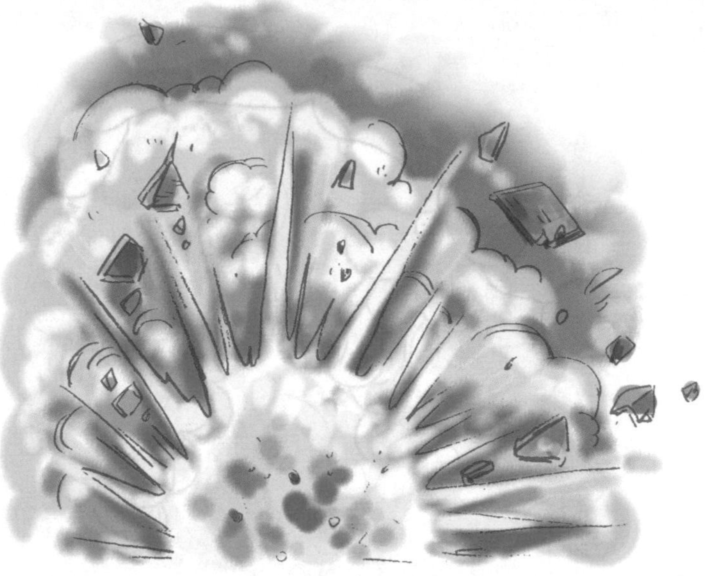

時代，這裡的部分結構還被剷平，然後用紅磚改建成官員的宿舍，也就是說，當初荷蘭式城堡的樣貌，在時代的變遷下，幾乎已經看不見了。現在我們所熟知的「安平古堡」這個名稱，是在臺灣光復後重新命名的。

幾百年的殖民歷史與戰火，或許讓安平古堡的容貌有所變動，但是它的屹立不搖，也為我們的歷史留下了最堅強的見證。

文化藏寶圖

【臺灣第一條街道】

位在安平古堡東側的延平街一帶，是三百年前荷蘭人在安平所建，臺灣第一條有計畫興建的歐式街道，素有「臺灣第一街」之稱。參觀安平古堡時，也別忘了逛逛這條老街喔！

建築位置・臺北縣淡水鎮
建造時間・公元一六二八年

海防重地紅毛城

紅毛城最早是誰興建的？

淡水河出海口附近的山丘上，佇立著一座紅色堡壘，它是大名鼎鼎的「紅毛城」。紅毛城的牆壁非常厚實，有整整兩公尺厚，在古代，連火炮都無法射穿，在海風的呼嘯下更是不動如山，顯得格外雄渾，屹立在淡水至今已有四百多年，為臺灣見證了一頁「大航海時代」的輝煌歷史。

大航海時代又稱為「地理大發現」，指的是十五世紀末一位名叫哥倫布的人，發現新大陸後，引發歐洲國家向海外探險的熱潮。當荷蘭人占領臺灣南部後，同時在亞洲擁有貿易基地的西班牙人，開始感到緊張了！因為西班

牙人占據的是菲律賓，他們以馬尼拉為基地，對中國和日本進行絲綢和白銀的貿易。偏偏臺灣就位在日本和菲律賓間的航線上，如果荷蘭人有心阻隔，西班牙對日本的交易就可能受到極大的威脅。因此，原本對臺灣沒有特別注意的西班牙，也決定進駐臺灣。

基於長期對日本的貿易經驗，讓西班牙人對臺灣北部的地形較為熟悉，因此他們決定在北臺灣尋覓駐軍地點。公元一六二六年，西班牙船艦沿著臺灣東部北上，登陸並占領基隆，與占有臺南

的荷蘭人各據一方，形成南北對抗的局勢。過了兩年，他們在淡水河口附近的高地上，建築了一座防禦的城牆，稱為「聖多明哥城」。

此後，聖多明哥城成為西班牙治理北臺灣的政治中樞，除了對外貿易，他們還陸續降伏當時位於淡水河沿岸的原住民部落，將勢力範圍從淡水擴及到臺北、宜蘭。經過進一步的開發，這些地區的硫磺、鹿皮與土產更是增加了西班牙貿易產品的陣容，使他們在東亞的貿易事業更為拓展。

隨後，西班牙的傳教士也開始登陸。在向外殖民的海上強權裡，信奉天主教的西班牙是最具有傳教熱忱的。他們以聖多明哥城為根據地，向臺北、宜蘭等地傳教，甚至深入蠻荒山區，一開始他們受到原住民的攻擊，有些人還因此喪命。後來，神父以現代醫學作為接近原住民的工具，治療了他們的瘧疾與天花，才使得原住民們對天主教的福音深信不疑。

西班牙人剛占領臺灣時，以為從此可以更深入的經營對日本的貿易，因

此對臺灣的經營十分積極。但是，新成立的日本德川幕府，從一六三五年開始，推行了「鎖國政策」，規定除了中國及荷蘭的船隻之外，其他國都不能進入它的國境。失去了貿易據點的功能，治理臺灣就成了吃力不討好的事情，西班牙的統治者便開始懈怠了。

一六三六年，原住民為了反抗西班牙人的統治，一把火燒毀了「聖多明哥城」。雖然事後西班牙花了不少功夫重新築城，但是才剛完工，又收到了菲律賓叛亂的消息，只好再調軍隊到菲律賓去鎮壓。荷蘭人接獲消息後，便在一六四二年北上進攻，果然不費吹灰之力的攻陷聖多明哥城，結束了西班牙在北臺灣短暫的統治。

攻下臺北之後，隔兩年的春天，荷蘭人從臺南帶來了建材和工匠，重新修建因戰爭而破敗的聖多明哥城，並且將它改名為「安東尼堡」。因為荷蘭人的髮色偏紅，中國人都稱他們為「紅毛」、「紅夷」，後來我們便改稱這棟荷蘭人修建的城堡為「紅毛城」了。

此後，鄭成功與英國人都曾修築過紅毛城，特別是一八六七年，英國人得到淡水作為通商口岸，向清朝政府承租這座「荷蘭舊城堡」作為領事館時，將它大大的整修一番，還增建了露臺，為這座原本荷蘭造型的古堡，增添不少英國風情。

在古堡的西南方，英國人也建造了全新的獨棟

房舍，這也就是我們今日所見，紅毛城旁的美麗洋樓——「英國領事館」。它是英國維多利亞時期風格的建築，擁有華麗的雕飾與梁柱，比樸實的紅毛城更為搶眼，別有一番雅緻的風情。

紅毛城的形勢險要，是附近一帶的制高點，可控制整個淡水港灣，在過去海上霸權的時代裡，占有非常重要的地位；現在，它雖然已經不再是軍事重地，卻是欣賞夕陽的絕佳景點。來到這兒，可別急著走，記得等等快要落下海平面的夕陽唷！

文化藏寶圖

【紅毛城顏色的由來】

以守備為主的紅毛城，最初僅是灰白色的碉堡，英國向清朝朝廷租借紅毛城作為領事館後，才在建築樣貌上做了一些修改，粉刷成具有特色的紅色牆身。

建築位置 ● 臺南市中區
建造時間 ● 公元一六五五年

中西風格合併的赤崁樓

赤崁樓怎麼長得那麼奇怪？

在古蹟林立的臺南市區，有棟看起來有點奇怪的建築物。歐式城堡的基座上，佇立著兩層擁有飛簷的中國建築，整棟建築就像是被巫婆施了法術，硬是組合在一起的魔法屋，使人不得不多望一眼。這棟樓房，現在我們都叫它「赤崁樓」。

為什麼要蓋這樣一棟「中西混搭」的奇怪房子呢？其實一開始，赤崁樓並不是這個樣子的。在前面的故事中，我們曾經說到，荷蘭人來臺灣以後，以熱蘭遮城作為政治中心，統治臺灣的漢人及原住民，還加以剝削跟掠奪。

日子久了，臺灣人民也就心生怨恨。

剛開始，許多原住民部落都會以「出草」的方式來反抗，但是幾次浴血抗爭，都抵不過荷蘭人的現代武器，犧牲非常慘烈。之後，荷蘭的基督教傳教士來臺，這些教士們以基督的聖名來籠絡原住民，終於逐漸讓原住民卸下心防，因為信仰而被收服。

當時，臺南地區有一位村長，名叫郭懷一，因為過去曾經跟隨鄭成功的父親鄭芝龍到海上遊歷，所以見識很廣，深受其他農民敬重。他看到大家生活得這麼痛苦，決定密謀起義，趕走討厭的殖民者，帶大家闖出一條生路。他們打算在中秋節的時候，以官民同歡的藉口，邀請荷蘭官員一起飲酒作樂。

等到酒過三巡，這些「紅毛番」都醉了之後，再將他們一網打盡。

可惜的是，公元一六五二年的中秋節前夕，計畫曝光了，一行人只好匆促發難，攻進熱蘭遮城。戰事一開始陷入膠著，雙方人馬都沒有取得優勢。但是，荷蘭人不斷的調來援兵，更利誘信奉基督教的兩千名平埔族原住民應戰，使得起義的漢人寡不敵眾，最後兵敗如山倒。

根據統計，當時大概有三千人餓死或被殺死，約占臺灣總人口的五分之一。你一定在想，荷蘭人怎麼這麼殘忍！因為當時盛傳鄭成功即將來攻打臺灣，荷蘭人擔心島上的漢人會成為鄭家軍的內應，乾脆一不做二不休，趁這個時機杜絕後患。

經過這一役，荷蘭人覺得，最好再建一座新城，跟熱蘭遮城互相掩護呼應，彼此形成堅實的政治與軍事中心，較為妥當。一六五五年，名為「普羅民遮城」的堡壘完工，它的南北角有瞭望臺，還有古井與地窖，可以儲存糧

食、預留水源，作為戰爭時的準備。

但是這座城才建沒幾年，就在鄭成功攻打荷蘭人時，率先被攻下，還被鄭成功改名為「東都明京」，設了「承天府」作為政治經濟中心，等到他徹底驅逐荷蘭人後，才與家人搬離這裡，到安平城居住。一六六四年，繼承鄭成功衣缽的鄭經，知道明朝最後一位永曆皇帝已經被殺死了，便廢掉東都，裁撤「承天府」，將全臺灣改稱「東寧」，以「東寧王國」自居。此後，普羅民遮城失去了政經中心的地位，也就成了儲存火藥的軍火庫。

由於普羅民遮城的所在地本來叫做「赤崁」，所以漢人們都稱它為「赤崁樓」。當赤崁樓失去昔日的光彩，再也沒有人替它維修，更缺乏管理時，幾乎一度頹圮。特別是在一七三一年，清朝康熙年間，當時臺灣發生規模龐大的民亂「朱一貴事件」，叛軍四處肆虐，殃及赤崁樓，連鑲在門上的鐵字，都被拆下來當武器。禍不單行，緊接著臺灣又發生好幾次大地震，使這座城的城樓坍塌成斷垣殘壁，看起來十分淒涼。

直到乾隆年間，一位知縣將辦公處

所設在赤崁樓的右側，才重新修築了這座舊城。到了同治年間，信奉觀世音菩薩的信徒，又在上頭建造大士殿。光緒皇帝時，為了振興文教，又在北側建立了蓬壺書院，同時把赤崁樓的基座填平，在上頭建造了祭拜文昌帝君的文昌閣，以及祭拜宋朝理學名家周敦頤、程顥、程頤、張載、朱熹的五子祠，與祭拜四海龍王的海神廟。

就這樣，多元文化的激盪，讓赤崁樓在漫長的歷史中，逐漸變成今日的奇怪樣貌。舊基填平的歐式城堡上，座落了各式各樣的中國建築，同時也訴說著不同朝代的故事，為臺灣的殖民往事，留下最直接的註腳。

文化藏寶圖

【赤崁樓的御龜碑】

公元一七八八年，清朝乾隆年間，為了獎勵平定林爽文之亂的有功人士，朝廷在赤崁樓立下了九塊石碑。因為底座的造型是烏龜，所以又叫「龜碑」，是目前公認臺灣最壯觀的石碑群。

建築位置：臺南市
建造時間：公元一六八四年

王者風範的大天后宮

為什麼王爺府邸會變成媽祖廟？

臺南市是臺灣開發最早的文化古都，走在市區處處可見歷史悠久的建築物。那麼，在眾多美輪美奐的建築物中，哪一個最具有王者風範呢？這個頭銜非「大天后宮」莫屬。

「大天后宮」座落在一塊斜坡地上，面對著舊時的碼頭，就古老智慧的風水學來說，是一塊背山面海的好地方。有句話說：「福地福人居。」單從所在的位置，就可以知道這棟建築物來頭不小。

沒錯！這兒曾經是一位明朝王爺「寧靖王朱術桂」的住所。他是明朝末

年的落難貴族，跟著鄭成功來到臺灣，居住在「寧靖王府」，也就是現在的大天后宮裡，打算從事反清復明的大業。滿清入主中國以後，朱術桂先後擁戴過幾位皇帝的後代，苦苦等待著東山再起的機會，可惜並沒有成功。

公元一六八三年，清朝的大將施琅，率領大軍攻陷臺灣後，這位寧靖王爺，知道自己已經窮途末路了，但他怎樣都不願意向敵人投降，成為戰俘苟且偷生，便毅然決

然以身殉國。臨死前，他特地燒毀田契，把數十甲田地全數送給佃戶，才從容的懸梁自盡。百姓感念這位仁慈的王爺，主動為他埋葬屍體，把整座墳都埋在地下，還在附近造了一百多座的假墳，成功的以假亂真，保護了王爺的遺體，沒有被清軍挖掘、破壞。

當時，還發生了一件動人的插曲。王爺有五位隨侍在側的妻子，知道丈夫即將從容就義，也不願意苟活在人世間，便比寧靖王更早一步上吊自縊而死。袁氏、王氏、秀姑、梅姐、荷姐這五位女子的勇氣與智慧，同樣深受百姓感佩，後來便也為她們蓋

了一座五妃廟！

至於施琅，因為剛攻克臺灣，正感到志得意滿，想也不想的就占用了寧靖王府，一時之間傳說紛起，大家都認為他可能會盤據臺灣，自立為王。他的軍師眼看事態嚴重，便勸告他：「朝廷對於掌握兵權的將領，向來是很提防的。何況您擁有全國最精良的海軍，如今又拿下了臺灣，要小心功高震主，招來兔死狗烹的命運啊！」

軍師的話，不是沒有道理。當時清朝統治下的中國，剛結束了一場長達八年的內亂。平西王吳三桂、平南王尚可喜、靖南王耿繼茂三位曾為清朝打天下

的將領，依仗著手中的武力割據一方，專橫跋扈。因此康熙皇帝後來便想收回他們的權力，只是反而引起了勞民傷財的戰爭。這場動亂耗費了清廷不少精力，也讓康熙皇帝極力提防全國的將領。而施琅這樣的行為，流露了想要稱霸一方的企圖心，的確可能招致殺身之禍。

所以，軍師的話，有如當頭棒喝，施琅趕緊退出王府，並利用大家認為成功渡海攻臺，是海神媽祖保佑的緣故，將寧靖王府改為供奉媽祖的寺廟，好讓祂繼續保佑清朝在臺灣的基業。

一九八四年，改建工程完工了。這次，這份榮耀施琅不敢再據為己有，立刻奏請康熙皇帝賜名，封媽祖娘為「天妃」，並稱這座廟為「臺灣府大天妃宮」。因為這座廟是由寧靖王府改建而成，所以又稱它為「東寧天妃宮」。而它也是臺灣歷史中，第一座落成的媽祖廟！

因為建築在山坡地上，因此大天后宮由前而後，級級升高，從前殿、

拜殿、正殿到後殿，愈往裡面走，結構與樣式就愈雄偉。雖然在時代的變遷中，大天后宮經歷不少次修護，但是始終維持著明鄭王府時期的格局，樣貌則從清朝以來，就沒有太大的變動。由於維護得當，在臺灣的一級古蹟中，可說是最不見歲月痕跡的一個。

來到天后宮，除了祭祀媽祖之外，如果你想要欣賞古蹟建築之美，那麼雕刻是不能錯過的重點，特別是石刻。這裡不論是置放在廟中的石獅，還是樹立在大廳的石柱，都是臺灣清朝石雕中的上乘作品。那種簡潔有力的線條，跟近代龍柱的誇張華麗，有著全然不同的風情。除此之外，

木雕、彩繪與匾額，也都頗為出色。可別小看廳堂上高掛的匾額，其中有不少都是大人物所贈！而廟方所收藏的「神昭海表」、「德伴厚載」、「與天同功」三塊，則是清朝皇帝御賜的，更顯示了這間廟宇與眾不同的地位。

下次來這兒，別光只顧著拜拜，記得多停留一些時間，欣賞這些美麗的藝術作品，才不會入了寶山，又空手而回。

文化藏寶圖

【大天妃宮不是施琅改建的？】

長久以來，大家都認為大天后宮是施琅改建的。但是，也有歷史學家提出不一樣的看法！根據曾在這裡擔任知縣的季麒光記載，當寧靖王決定自殺殉國前，便已經留下遺囑，希望將住家改建成天妃的神祠；而真正監督修建工程的人，則為施琅的部屬，當時的福建興化總兵——吳英。至於改建為什麼會成為施琅的功勞呢？學者認為，可能是史家為了討好皇帝而精心設下的陷阱。

莊嚴華麗的鹿港龍山寺

建築位置：彰化縣鹿港鎮
建造時間：公元一六六一年

臺灣的第一間佛寺是在哪裡？

在臺灣古早的社會裡，人們流傳著一句話：「一府、二鹿、三艋舺。」讚揚著當時的臺南府城、鹿港、艋舺三個城市的繁榮盛況。由此可知，鹿港是臺灣的古老城市之一，淵遠流長的歷史和豐富的人文環境，讓許多文化愛好者不辭千里，從各地到此朝聖，像是迷宮一般的九曲巷、窄到只能一個人通過的摸乳巷，都是到此必遊的地點。

由於這兒曾是許多達官貴族居住的地方，因此發展出精緻的糕餅技術，其中又以百年老店「玉珍齋」的甜點最為出名，再加上麵茶、蚵仔酥等傳統

小吃，總是吸引許多饕客聞香而來，在老街裡流連忘返。

但是，如果你還想更深入了解鹿港的人文風情，那麼一定要到「鹿港龍山寺」走一趟！這座寺廟占地一千六百多坪，共有九十九個門，有戲臺、拜亭、正殿及後殿，更配有左右廳房。這樣的規模，簡直就是皇帝級的，因此又有人稱它為「皇帝殿」，或「臺灣紫禁城」！

然而，鹿港龍山寺的重要性不只於此。它是臺灣的第一間佛寺，更可以說是臺灣佛教的起源地，若要說這座寺廟出現的原因，背後可是有一段曲折

精采的故事！

一切都得從肇善這位苦行僧說起。肇善不僅精通佛法經典，更有著高超的佛像雕刻技藝，他窮盡所學，雕成了一尊栩栩如生的觀音石像，打算帶著它前往浙江省的佛教名山普陀山朝聖。誰知道卻遇上了突來的暴風雨！

一陣陣狂風與巨浪，險些就要讓船翻覆，同行的人都以為死期到了，個個哭天搶地，只有肇善非常鎮靜，暗暗祈禱：「菩薩啊！我個人的生死事小，但是這尊觀音神像就此沉沒在大海中，未免太遺憾了。四方諸佛啊！請您一定要顯靈，保佑神像平安抵達目的地啊！

說也奇怪，就在肇善的祈禱與

反覆誦唸的佛號中，這艘船真的平安度過了海難，只是迷失了方向，就這樣又漂流了好幾天，終於停靠在一個不知名的島嶼上，而這個島嶼正是臺灣。

既然普陀山去不成，肇善決定隨遇而安，留在這個島上宣揚佛法。他在鹿港這個地方，找了塊耕地，蓋了茅草屋，一邊耕種，一邊研究佛法。當時臺灣各地蔓延著許多傳染病，而肇善精通醫理，四處採藥為人治病，大家都把他當成活神仙，對於他宣揚的佛教教義，也就更加篤信。

漸漸的，各地信徒紛紛到他的茅廬，祭拜裡頭供奉的觀音。隨著上香的信眾愈來愈多，肇善開始覺得，如果要將佛法宣揚給更廣大的信眾，神像似乎不能只供在簡陋的茅草屋裡，得要有一間較具規模的佛寺才行。因此，他在公元一六五八年，明朝永曆年間，立定了要蓋一座佛寺的志向。

從此之後，他四處講經說法，籌募建寺的善款，又回到福建省的溫陵龍山寺，迎來一座七寶古銅觀音像。一六六一年，也就是鄭成功趕走荷蘭人的

那一年，這座筆善夢想中的佛寺終於落成了。

筆善禪師本身就是一位工藝師僧侶，加上長年閱讀典籍，對於美學有著獨特的見解，因此鹿港的這間龍山寺處處可見他的深厚涵養。這座寺廟整體看來，格局方正，肅穆莊嚴，但走進細瞧，可以發現梁柱上的雕刻精緻細膩、栩栩如生，使人不由得從心底萌生對上蒼的敬意。筆善所刻的觀音石像，以及後來請來的

七寶古銅像，也一直被供奉在寺廟中，成為臺灣佛教發展初期佛像雕刻的範本，影響非常深遠。

一七二一年，康熙年間，肇善以一百零八歲的高齡仙逝。他雖然離開了，卻為臺灣留下了一間美麗的廟宇，一座獨一無二的建築藝術結晶。雖然幾經破壞與修建後，龍山寺和最初的樣貌已經略有不同，但是它作為臺灣人民精神的寄託與支柱，卻是從來不曾改變。

文化藏寶圖

【臺灣的龍山寺】

「龍山寺」並不只是寺廟的名字，更可以說是東南沿海地區，在佛教信仰上的一個分支，它的源頭來自福建泉州府晉江縣安海鄉的龍山寺，而後才跟著移民的腳步逐漸向外拓展，來到臺灣。清朝時，像這樣的龍山寺在臺灣較著名的總共有五座，分別在鳳山、臺南、彰化、臺北艋舺和淡水。

建築位置・臺南市中區
建造時間・公元一六六六年

全臺首學臺南孔廟

孔子為什麼會被供奉在廟裡呢？

多元文化的臺灣，宗教信仰活動十分活躍，大街小巷林立著廟宇或教堂，幾乎已經是我們生活的一部分了。不過，一般來說，廟宇裡頭多半供奉神明或鬼魂，人們藉著供養、參拜祂們，希望獲得現實生活的庇佑。但是，在孔廟裡，祭祀的卻不是一般的神靈，而是中國歷史上有名的思想與教育家「孔子」。

在廟宇裡祭祀孔子，是一件非常奇特的事情。記載著孔子言行的《論語》一書，就記錄著，有一次孔子的學生季路，向孔子請教鬼神的事情，孔

子告訴他：「待人處世都還不能盡如人意，怎麼會想到如何對待鬼呢？」由此，我們可以發現，孔子雖然不確定世界上是否有鬼神存在，但是卻不喜歡浪費時間去談論，認為我們應該「敬鬼神而遠之」。

反對怪力亂神的孔子，大概很難想像，在他遠離人世之後，竟然會被當成神祇，安奉在廟宇裡。其中的緣由，必須從明鄭時代的名臣，陳永華治理臺灣的政策開始說起。

公元一六六二年的春天，鄭成功過世，他的兒子鄭經在陳永華的輔佐下，繼續經營鄭成功在臺灣的大業。一六六四年，清朝康熙年間，鄭經決定

沿用明朝皇帝永曆的年號，自居為「東寧王國」，這被認為是臺灣史上漢人建立的第一個王朝。

在陳永華的建議下，鄭經大刀闊斧的建立了臺灣前所未有的制度與政策。經濟方面，他以土地私有制度，鼓勵漢人開墾農地，奠定了臺灣農業生產的基礎。政治方面，他推行坊里制，里下為社，社置鄉長，居民十戶為牌，十牌為甲，十甲為保，每個層級都設有官員管理。這樣嚴密的社會制度，不但讓政權穩固，行政措施的

推展也更加徹底。

此外，陳永華告訴鄭經，如果要在臺灣長久統治，一定要著重人民的教育，所以他建議鄭經建造孔廟、成立學校。一六六六年，臺灣第一座孔廟就在當時的承天府鬼仔埔落成，也就是我們現在說的「臺南孔廟」。孔廟的建築當然以祭祀孔子為主，不過旁邊也設有明倫堂，為學子上課，所以稱為「全臺首學」。此外，陳永華還制定了科舉的辦法，只要通過政府的考試，就可以進入太學（即國立大學）就讀，成為未來政府官員的班底。

孔廟的建立還有另一項深層的意義。因為清朝是來自北方的女真族所建立的，在驕傲的漢人心裡，多半認為他們沒受過教化，不懂得中原文化的博大精深。因此孔廟的建立，正好證明臺灣的明鄭王朝，才是孔子所倡儒家思想正統的延續。

現在，臺南孔廟已經成為臺南人的文化精神堡壘。它的建築規模，大

致保持著「左學右廟」的規格，「左學」是以明倫堂為主的建築群，過去乃是學生上課的地點；「右廟」則是以大成殿為中心的寺廟廳堂，祭祀著孔子的神位。雖然許多圍牆都頹圮了，但是還是可以感受到，鄭經及陳永華對於孔子思想傳承的重視。

就建築藝術的觀點來說，孔廟最讓人驚奇的是「大成殿」。大殿裡沒有柱子和迴廊，只用後牆外的排梁支撐，結構非常特

殊，可以說是中國古建築中的一絕，吸引了不少建築、歷史學家前來考察！

而每逢國曆九月二十八日，孔子生日來臨時，孔廟也不像其他的廟宇，舉行鑼鼓喧天的廟會來慶祝，而是以肅穆的祭孔大典，表達對孔子的追思。典禮的重頭戲，是舉行古老的「八佾舞」表演，這種舞蹈源自中國周朝，「八」是八個人的意思，「佾」的意思就是「行列」，所以你會看到手拿三根長羽毛的舞者，以整齊的行列與步伐，跳出對至聖先師的崇敬。

此外，關於孔廟，民間還流傳著一個小祕密。據說，祭祀過孔子的牛隻，被大教育家享用過，具有神奇的力量。因此只要把牠的毛拔下，帶回家吃下，就能夠擁有過人的智慧，考試讀書無往不利。這就是為什麼參加祭典的民眾往

往都不急著走，要等大會結束後，搶拔「智慧毛」了！

雖然，崇尚孔子的文化源自中國大陸，但是到今天，這卻成為臺灣獨一無二的文化。一九六六年，中國大陸展開長達十年的「文化大革命」，想要破除中國古老思想，而儒家成為首當其衝的目標，幾乎被消滅殆盡。還好，藉著孔廟的建立，孔子的思想在臺灣傳承了下來，它的存在，證明了陳永華獨到的遠見，直到今天仍讓人感佩不已。

文化藏寶圖

【祭孔大典】

「禮、樂、射、御、書、數」是儒學中所強調的六藝才華。每年孔子誕辰之際，臺南市孔廟文化園區，都會舉辦一系列以六藝為主軸的藝文活動。除了肅穆的古禮，還有許多古早童玩的表演，像是打陀螺、高蹺、水槍、彈弓、紙風車的認識、說故事表演、鐵馬遊府城以及闖關遊戲區等，透過遊戲的方式，讓大家對於孔子的思想，有更深的認識。

建築位置・新竹市北門街
建造時間・公元一八三八年

雍容華貴的鄭用錫宅第

清朝的豪宅長什麼樣子？

經過長時間的發展，臺灣從充斥羅漢腳的島嶼，漸漸的也出現了一群生活優渥的貴族，我們習慣將他們稱為「仕紳」。臺灣仕紳們大多數是靠著開墾、經商，世代累積的資產，成為富賈一方的名門；少部分則藉著科舉考試，也就是朝廷的徵才考試，從貧窮破舊的寒窗苦讀讀書人，一躍成為光耀門楣、揚名天下的進士。

仕紳們不必為生活擔憂，手頭上有一些閒錢，於是就仿效起中國的文人雅士，興建豪華的家族住宅以及私人花園。這些高大的門戶、華麗的屋簷、

美麗的庭園……就像現代人所謂的豪宅一樣，讓普通人家欣羨不已。

想知道當時的豪宅長什麼樣子嗎？位於新竹市北門大街的鄭用錫宅第，就是清朝非常著名的豪宅之一呢！這是一座「三進四合院」的中國傳統建築，光看這樣的格局，就知道是達官顯貴、世家大族所住的地方。

什麼是三進四合院？中國傳統住宅的形式中，最簡單的是三到五間組成一排的「一條龍」，如果房間不敷使用，則會在兩端增建房屋，稱為「護龍」；只增建一端的稱為「單伸手」，兩端都增建而呈「ㄇ」字型的則稱為

「三合院」。

農村中，以三合院最為普遍。中間的正廳供奉祖先牌位，正廳的左右兩側是長輩住的；兩旁的護龍可作為房間，則是晚輩住的，也可當作倉庫、豬舍、牛舍。中間的院落空間，稱做「埕」，平常用來賞月、辦酒席、聊天或是早起打拳練身，農忙時則用來晒穀。

把「護龍」的兩頭再蓋上三、五個和正廳平行的房間，中間圍出一個天井，形狀如「口」字型的，就叫做「四合院」，這是古代富豪之家最常採取

的形式。如果還不夠住，就會再加蓋另一個「口」，形成「日」字型，叫做「三進四合院」。「三進」指的是護龍以外，橫向主建築的數目。而鄭用錫宅第就屬於「三進四合院」，由此可見這個家族的人丁昌旺。

此外，像燕子尾巴一般翹起的屋簷，也是鄭用錫宅第的一大特色。這種款式的屋頂，在清朝規定只有舉人以上的階級，才有資格使用。所謂「舉人」，就是經過地方考試合格，擁有前往中央應考「進士」資格的人。而這座古厝的建造者，不但是一位舉人，更是一位進士。

公元一八二三年，道光年間，臺灣島上發生了一件大事，那就是臺灣子弟鄭用錫考上了科舉。因為他是首位在地進士，更是清朝設有臺灣籍保障名額而中舉的第一人，因此大家都尊稱他為「開臺進士」。

金榜題名的他，原本應該留在中原繼續當官，好好發揮所長。但是他一點也不在意那些名利，不久便辭去了官職，回家鄉奉養雙親。當他風風光光

的，從今天的舊港登陸，打算要返回新竹城時，還發生了一件插曲。因為前往迎接的鄉親實在太過踴躍，人潮擁擠，導致有一位牧羊女手上牽的羊被踩死了。因此還出現了一句諺語：「人做官，汝死羊母。」——意思是說他金榜題名、揚名天下，連不相干的人都受到影響，實在是太轟動了。

對於生活十分講究的鄭用錫，返臺之後，從一八三八年開始，便著手興建自己的住宅。他以福建傳統格局為藍本，以主屋「進士第」為中心，

陸續興建「春官第」、「吉利第」、「鄭氏家廟」等建築，形成一個廣大的街屋建築群，後來還蓋了一座華麗的庭園「北郭園」。

因為擅長吟詩作對的他，成立了一個「竹城吟社」，這個「北郭園」便用來供社友定期聚會，大家或小樓聽雨，或在蓮池上泛舟，邊欣賞庭園中美麗的山光水色，邊以詩文來應和。這種類似江南文士的作風，在當時引起了一股風潮，也間接的讓北臺灣的文學風氣鼎盛起來。即使是現在，說起這段輝煌的歷史，仍是讓新竹人感到非常驕傲呢！

文化藏寶圖

【潛園】

這座園林的主人林占梅，是位經商致富的富豪，他雖然沒有科舉的功名，但是琴棋書畫樣樣精通，名氣並不小於鄭用錫。潛園建於公元一八四九年，一樣位在新竹，據說就是後來鄭用錫興建北郭園所仿效的對象。而這兩處庭園，是當時新竹文人主要活動的地點，並稱為新竹兩大名園。

建築位置 ● 南投縣竹山鎮

建造時間 ● 公元一八七五年

打通中央山脈的八通關古道

臺灣第一條東西橫貫道路是誰蓋的？

今天的臺灣，北、中、南都有橫貫公路，想從西臺灣任何地方到宜蘭、花蓮、臺東等地區，一點都不困難。但是，在清朝，中央山脈把臺灣阻隔成「前山」和「後山」兩個部分。「前山」就是山脈以西的平原，「後山」則是指山脈以東的縱谷地帶。除了從海路行駛船隻，繞過島嶼的南端或北端，在東海岸登陸外，想要直接從陸路爬過群山而抵達東臺灣，簡直難如登天！

然而，當時的一位官員，卻想要改變大自然的阻礙，在叢山峻嶺中開闢出可以供人行走的道路，他就是沈葆楨。

公元一八七四年，清朝同治年間，日本人藉口有人民在屏東的牡丹社等地區被原住民殺害，便以武力侵犯臺灣，造成「牡丹社事件」。清廷因此體認到臺灣的重要性，於是授命沈葆楨為欽差大臣，到臺灣進行考察。

沈葆楨來臺後發現，臺灣的土地發展很不平均。中央山脈以西的前山，不但土壤肥沃，與中國大陸間的交通往來也很方便，所以漢人的墾殖早已到達極限，經常有耕地不足的問題發生；後山地區則因為高山的阻隔，交通往來困難，很少有漢人來到這裡，其實它雖然是狹長的縱谷地形，但因為陽光充足，也有不少可以耕種開發的土地。也因此，原住民將後山視為他們的樂

園，牡丹社事件之所以會發生，就是放任後山的原住民不加以管理的結果。

沈葆楨於是向清朝政府提出「開山撫番」的建議，「撫番」是指讓原住民漢化，「開山」則是指建設北、中、南三條貫穿臺灣東西的橫貫道路，打開前山、後山之間，被中央山脈所阻隔的道路，好讓漢人可以到後山開墾。北路是現在蘇花公路的前身；中路就是從今天南投的竹山到花蓮的玉里，也就是「八通關古道」；南路則是南迴公路的前身。

這三條道路中，至今仍被保存下來的是中路「八通關古道」。所謂「八通關」就是原住民鄒族語言中的「玉山」。這一帶，是高山原住民活動的區域，平地人一旦走進這廣闊的山林，迷了路不說，還可能因冒犯原住民而喪失性命。

根據史籍上的記載，這項工程是由當時統領軍隊的武將，總兵吳光亮負責。一八七五年，他率領了兩千多人，從當時的林圮埔（今南投縣竹山鎮）

開始開鑿，一路挺進大坪頂、鳳凰、牛輼轆、茅埔、八通關、大水窟，直到璞石閣（今花蓮縣玉里鎮），將近一年後，終於完成了這條全長一百五十二公里，平均路寬六尺的通道。

當時臺灣的物力維艱，沒有機械怪手輔助，憑藉的只有人的雙手；一旦遇到巨石擋路，便只能在它的上頭鑿出階梯；遇到溪流阻隔，便只能鋪設棧道或架設橋梁。此外，每隔一段路程，

便會設置供休息及聯絡用的營壘。期間，吳光亮還在八通關中，鳳凰山的一塊大石頭上，提了「萬年亨衢」四個字，意思是希望這條道路可以永遠暢通，直到萬年之後。

可惜的是，道路完工後，清廷招募漢人到後山開墾的政策，因為受到原住民頑強的抵抗，成效並不是很好。最後，八通關古道只用了二十年，就成為山林中的廢道，埋沒在荒

煙蔓草中。

後來，日本統治臺灣期間，曾在一九一二年加以整修，以吳光亮的古道為基礎，另外修築了一條路線略有不同的「八通關越嶺道路」。就連自認嚴謹的日本人，都不得不承認這條古道的工程品質好極了！

現在，「八通關古道」仍是臺灣現存保存最完整的古道之一。而寫著「萬年亨衢」的大石頭，也還佇立在鹿谷鄉鳳凰山麓上，向我們展示著沈葆楨與吳光亮兩位先賢，勇於挑戰自然的萬丈雄心。

文化藏寶圖

【玉山名稱的由來】

八通關古道還沒開鑿之前，大家對於中央山脈內部的狀況，並不清楚。看見群山之中，一個山峰在陽光下閃閃發亮，以為是珍貴的玉石，便將它稱為「玉山」。直到吳光亮帶領軍隊開鑿「中路」，進入八通關之後，才發現是山頭的積雪受到陽光照耀所致。這個誤傳許久的謎團，也才被解開。

建築位置●臺北市延平南路
建造時間●公元一九三二年

摩登風情的中山堂

臺北市中山堂的建造是為了紀念誰？

在臺北市繁華熱鬧的西門町一帶，有座古老樸實的歐風建築，隱身在水泥叢林裡，就在車水馬龍的中華路上，不注意，根本無法察覺它的存在，但是只要轉個彎，不需要多少路程，它就矗立在你的眼前。

建築前方的廣場上，滿是悠哉的人們，自在的散步、談天；樓上的陽臺，則有人沉醉在喝咖啡的閒情中。這座散發著濃濃歐洲風的「中山堂」，就像是時光的隧道，帶領著我們重溫日治時代的摩登風情。

它的前身是清朝在臺灣設置的辦公處，名為「臺灣布政使司衙門」，是

當時全臺最高的行政機關。後來，清朝在甲午戰爭敗給日本，被迫割讓臺灣，不滿的臺灣人群起反抗，並因此短暫的建立「臺灣民主國」，這裡也被臺灣民主國當作總統府使用，只是只維持十幾天，就被日軍攻陷了。

公元一九二八年，日本人為了紀念裕仁天皇登基，並展示他們在臺灣治理的政績，於是將這棟衙門拆除，將部分建築結構搬到附近的植物園陳列，計畫在原地另外興建一座「臺北公會堂」。

所謂「公會堂」，是日本政府為了在都市內舉辦公眾集會活動而設計的公共建

築，有點像是現在的「活動中心」。在臺灣許多地方，如臺中、臺南等地，都能夠看見類似的日治時代建築。

這項工程由當時知名的建築師井手薰負責，從構思、動工到落成，歷時八年，才於一九三六年完工。這在當時的臺灣與日本，都是件大消息！因為它的規模與場地設備，僅次於當時日本的東京、大阪及名古屋，排名第四。

臺北公會堂共有四層樓，使用的面積有四千平方公尺，內部可分成「集會堂」和「餐廳」兩個部分。一樓是挑高的「集會堂」，裡頭分上、下兩層，約可容納兩千名觀眾；其餘的三樓則屬於「餐廳」，但除了用餐的地方以外，還有娛樂室、理髮廳、貴賓室、廚房等。而當時的屋頂，更設置了天文望遠鏡與觀測臺呢！

只是，由於工程接近完工的時候，日本捲入了第二次世界大戰，多數的資金都耗費在戰爭上，所以臺北公會堂的建築設計，只著重在場地的實用性

上，採用鋼骨水泥的結構，外表則是非常簡單樸實，僅以歐式古典花紋來點綴門面。不過，這樣樸實的外表，後來竟成為它特殊的魅力所在呢！

臺北有了這個公會堂後，日治時代的臺北人們，開始體會到什麼是現代的都會生活，也對日本政府引介的西方現代文明，產生了許多美麗的夢想。其中，最讓人念念不忘的，就是在一九三五年，公會堂還沒完工時，在堂內盛大舉辦的「始政四十週年紀念臺灣博覽會」。

這是臺灣史上的第一場博覽會，展覽期間為十月十日到十一月二十八日，共歷時五十天，花費了一百一十一萬日圓。會場中展示了日本治理下，臺灣農業、漁業、林業、製糖業的發展。據說，有將近三分之一的臺灣人，都來參與這一次的盛會。

慶典一般的博覽會，讓世界看到了一個充滿新希望的臺灣，但是，好景不常，不久後第二次世界大戰就爆發了！戰敗的日本，在戰爭結束後黯然退出臺灣，但也把美麗的「臺北公會堂」留給我們。

一九四五年，中華民國政府收復了臺灣，臺灣省受降典禮便在這兒舉

行。由陳儀代表中華民國政府，安藤利吉代表日本政府，簽訂受降條約。從此以後，被日本人統治五十一年的臺灣，正式重返祖國懷抱。

這時，由於日治時期的名稱「公會堂」已經不適用，於是便改名為「中山堂」，並且在前方的廣場設立國父銅像。多年以來，這裡曾經是國民大會召開的地點，也經常是國家接待外賓的場所。現在的中山堂，是法定的二級古蹟，也重新回歸到市民的懷抱，經常有熱鬧的博覽會或藝術表演舉行。

你想體會日治時期的市民生活嗎？上中山堂走走吧！

文化藏寶圖

【為什麼日本人要在臺灣蓋歐式建築？】

日本在十九世紀末的明治維新後，積極向西方學習現代知識，留學的知識分子中，有一部分是學建築的，因此也將歐洲人的建築美感帶回日本，應用在實際的工程上，所以在日本與臺灣也就留下了大量的歐式建築。連現在的臺灣總統府，也散發著濃濃的文藝復興風情呢！

建築位置 ● 基隆市中正區
建造時間 ● 公元一八四〇年

生人勿近的海門天險

怎樣的炮臺能讓英法軍隊死傷慘重？

想知道全臺最恐怖的靈異地點在哪兒嗎？從基隆中正公園裡的一條小路，走入樹蔭遮蔽的林間小徑，最後便會看見一個中國式的古堡，在強風的呼嘯中屹

立不搖。就是它了！這就是讓靈異探險者聞風喪膽的一級古蹟——「海門天險」，又被稱做「二沙灣炮臺」。

這個地方，白天滿是參觀的遊客，到了晚上卻鮮少有人接近。因為，許多人言之鑿鑿，說曾在夜晚聽到軍隊操練或廝殺的聲音……那黑暗中傳來的嘶吼，凶狠、淒厲，讓人嚇得兩腿發軟。而且，如果細聽就會發現，竟然有中文、英文、法文三種版本！

是怎樣的一個地方，會聚集這麼多軍人的鬼魂呢？而那些來自英國、法國的軍人，又為什麼會客死異鄉，成為孤魂野鬼呢？入口處的解說牌，記載了這座炮臺的歷史，也為海門天險的靈異故事，做了最佳的註解……

清末，英國人將大量的毒品鴉片傾銷到中國，使得許多人都吸食成癮。公元一八三九年，道光皇帝派欽差大臣林則徐到廣州查禁鴉片。這個舉動激怒了英國，他們決定出兵報復。隔年，英國船艦遠征中國，清朝軍隊根本不

堪一擊，紙老虎的真面目就這樣被戳破了，只好趕緊求和，史稱「鴉片戰爭」。英國開口要求割讓香港，中國一開始沒有答應，英國便看上臺灣，決定在這裡建立軍事基地。

當時治理臺灣的官員叫做姚瑩，他一收到英軍即將來犯的消息，馬上想到首當其衝的基隆港，防禦工事並不完備，便上奏朝廷：「這兒的港口既深且廣，敵軍不但能輕易登陸，而且可以把我軍的布署一覽無遺。請求能在正對出海門戶的附近——二沙灣高地，建築八座炮臺。」

果不其然，隔年英國的船艦開到基隆外海，向此地海域的守軍提出停靠及物資補給的要求。姚瑩當然不肯答應，英國船艦也就對臺灣展開猛烈的攻勢。沒想到，志得意滿的英軍，在基隆這一役，吃盡了苦頭。當時，總兵達洪阿率領守軍在二沙灣炮臺的所在地，靠近基隆港的海岸，居高臨下的，清楚看透敵軍的動靜，因此先發制人，讓英軍傷亡慘重、鎩羽而歸。

一八八四年，為了爭奪殖民地越南，中法戰爭又在臺灣北部的基隆和淡水開打。在臺灣，許多人把這場戰役稱為「西仔反」，因為臺灣人稱「法蘭西人」為「西仔」，「反」則是叛變的意思。

法軍從八月開始攻擊基隆，卻連吃了兩次閉門羹，到了十月改從仙洞上岸，才趁隙挺進到淡水地區。奉命率軍抵抗的劉銘傳死守淡水，而法軍發現攻臺沒有想像中容易，便改採封鎖戰略，阻斷臺灣海岸線的交通。

戰事陷入膠著，雙方傷亡都很慘重。最後，法軍只好轉進澎湖，卻不幸感染當地流行的瘟疫，造成上千人病死，只好在一八八五年四月與清廷和談，結束了長達八個月的戰爭。

中法戰事結束後，同年，清廷決定將臺灣從福建省分離出來，獨立建省，由抗法有功的劉銘傳出任首任巡撫。由於深深體會到基隆地區的軍事重要性，劉銘傳在一八八六年，聘請德國人鮑恩士，將姚瑩所築的老舊炮臺改建，成為我們今日所見的「二沙灣炮臺」。

這是一座石造的隱藏式炮臺，其城門座落在東北、面朝西南，遠遠就能望見依著海岸線蜿蜒的城牆，並且提著「海門天險」四個大字。雖然從外頭望去，城牆十分低矮，然而裡頭卻隱藏著完整的兵房、彈藥庫，企圖從視覺上，達到欺敵的目的。

不過「海門天險」是誰提的呢？至今仍沒有定論。它的存在，就像是這裡的靈異傳說一樣，為英勇抗敵的歷史故事，增添神祕動人的色彩。

文化藏寶圖

【劉銘傳與臺灣第一條鐵路】

劉銘傳在臺灣擔任巡撫期間，積極建設臺灣，其中，極具代表性的，莫過於臺灣第一條鐵路的興建。他原本計畫從基隆興建到臺南，由政府督導民間興辦，沒想到大家的反應冷淡，只好由官府出資開工。整體來說，這條鐵路北部到新竹的路段於公元一八九三年完工，但是因為太花錢了，通車後又不能創造足夠的效益，所以不久之後就停止興建了。

建築位置：臺中縣霧峰鄉
建造時間：清朝同治年間

臺灣的大宅門——霧峰林宅

為什麼臺灣人要用文化對抗日本人？

在臺中縣的霧峰鄉，座落著一處華麗而壯觀的古宅，中國傳統式的建築屋群，有著流線型向天空彎曲的飛簷，搭配上花木扶疏的林園，富麗堂皇卻不失風雅，使人忍不住猜想，住在此地的，必定是不凡的賢人雅士。這裡，是臺灣近代史上赫赫有名的「霧峰林宅」，也稱為「霧峰林家花園」。

霧峰林宅，共可以分成頂厝、下厝及萊園三個部分。「頂厝」是重要成員居住的處所，建築最為華美；「下厝」建築年代比較早，所以顯得比較陳舊；而「萊園」，約距離林宅一公里的路程，是林家依山傍水的私人庭園，

據說下著濛濛細雨時景色最為宜人，還享有「萊園雨霽」的美譽。

林家花園不但是霧峰人的驕傲，更被視為臺灣精神的象徵，主要原因，不是因為它的建築年代久遠，被列為二級古蹟；也不是因為它外表美輪美奐，吸引人流連忘返；而是這個地方，曾經是臺灣抗日文人的聚會場所。

日本治理臺灣以後，許多人對於失去祖國感到哀傷，而詩人們便紛紛把沉痛的心情寫進詩中。當時，由霧峰林家創立的「櫟社」，是中部地區最具規

模的詩社，詩社成員們經常在林宅中聚會，藉著萊園美麗的景致，消解心中的鬱悶。而林仲衡、林朝崧、林幼春等三位林家子弟，更被稱為「霧峰三詩人」。

另一位林家的代表人物，則是以文化和平抗日的運動領袖——林獻堂。據說有一次，他在日本遇見了在中國推行維新運動的梁啟超，兩人雖然語言不通，卻以「寫字」的方式相談甚歡。林獻堂提到，許多臺灣人都希望重回中國的懷抱，梁啟超卻回覆：「中國根本是自身難保，三十年以內都不可能有力量爭取回臺灣。」他建議：「臺灣人不要跟日本人拼命，

做無謂的犧牲，應該學習愛爾蘭人對付英國人的手段，在體制內討好巴結日本官僚，讓他們不會欺壓你們欺壓得太過分。」

林獻堂覺得這一席話頗有道理，回臺後便召集一些青年才俊，發起「臺灣議會設置請願運動」，向日本殖民政府爭取人民表達意見的管道；並在一九二一年的臺北，創立了一個臺灣人自發性的文化組織，叫做「臺灣文化協會」，簡稱「文協」。

為什麼要成立臺灣人自己的文化組織呢？另一個發起人蔣渭水原本是一位醫生，他說道：「現在，大多數的臺灣人，都有著知識營養不良症。除非吃下知識的營養品，不然恐怕是無藥可醫了，臺灣文化協會就是要幫大家治療這種病！」

於是，在林獻堂與蔣渭水登高一呼之下，全臺青年男女紛紛起而效尤，立志要當為臺灣補給營養的後勤部隊。他們創辦了一份刊物，取名為《臺

灣民報》，除了刊登時事社論，也登載許多文學作品，為當時的臺灣培養出一批新文學家。而為了讓不識字的人，也能接受新文化的洗禮。文協還從東京購買了十幾卷社會教育影片，並且成立「美臺團」機構，訓練一些青年到各地巡迴播放。

當時，文協的總部設在臺北，但是由於林獻堂是領導人，非常熱情好客，許多決議便都在霧峰的林家宅院裡討論，所以林家的花園裡，經常可以看見文藝界人士聚集，真可以說是群英薈萃！而文協所舉辦的各種課程，不管是邀請各界菁英演講，還是利用暑

假期間舉行夏令營，教室和宿舍往往也都設在霧峰林宅裡頭。

就這樣，在林獻堂等人的努力下，新知識與觀念逐漸在臺灣人們的心中發芽。只可惜好景不常，日本政府捲入第二次世界大戰後，開始嚴格的思想控制，而文協自然也就被強制解散了。

在歷史的大河中，是非成敗轉頭空，不受歡迎的殖民者，終究無法在臺灣久居。但是，霧峰林家花園卻屹立到今天，堅守著這塊土地，為臺灣文人的抗日事蹟，留下了最美麗的見證。

文化藏寶圖

【日治時代的電影代言人——辯士】

早期的電影是無聲默片，需要「辯士」來解說劇情，厲害的辯士能夠讓劇情高潮迭起，贏得觀眾的喝采，可說是電影重要的「代言人」。臺灣文化協會為了巡迴播放教育影片，也曾經特地培養了一批辯士呢！

源起年代・公元十七世紀明鄭時期的練兵制度
分布地區・臺灣各地廟宇（以高雄縣內門鄉最具代表性）

雄壯威武的宋江陣

為什麼一百零八條好漢只剩三十六人？

在廟會的場合裡，經常可以看見一群人，拿著斧頭、大刀、鐵鉤、鐵叉等武器，在神明出巡的隊伍中，做武術的表演。鑼鼓聲中，他們出招時而威武凶狠，時而花俏絢麗，讓大家驚喜連連，總是贏得群眾滿堂的喝采與掌聲。這就是臺灣廟宇特有的文化——宋江陣。

民間傳說宋江陣的由來，跟明鄭時期輔佐鄭經的名臣陳永華，有很大的關係。據說陳永華平時不但要處理朝政，私底下還是位響噹噹的江湖人物，化名叫做「陳近南」。他以信仰「玄天上帝」作為掩護，創立了反清復明的

祕密組織「天地會」。

這個組織的成員，彼此結拜為兄弟，約定要同生共死。他們以天為父，地為母，尊崇化名「萬雲龍」的鄭成功為大哥，專門在清朝統治下的中國大陸，從事一些反政府的祕密活動，讓清朝政府頭痛不已。簡單來說，天地會就是清朝的地下幫派，而陳永華這批人，就是在異族統治下，從事愛國活動的「義賊」。

而不知道是不是這層關係的緣

故，讓陳永華不但善於文治，更精通武功，帶兵打仗總是所向披靡。

在陳永華輔佐鄭經，統治臺灣的期間，為了讓長期固守島上的鄭家軍，不會過度耗費人民的糧食，也為了將臺灣的人力、兵力，做最徹底的運用，他推動實施「屯田制度」。沒有戰爭的時候，軍人的身分不過是普通的百姓，要自己下田耕作維持生活，不再由國家支付龐大的開銷；等到戰爭發生時，再由政府將他們組成軍隊。

然而，農耕生活已經很忙碌了，如何讓大家的體力總是維持在備戰狀態呢？陳永華發現，島上處處可見的廟宇，是農村生活的中心。如果把軍事演習和神明信仰做結合，就能發揮最大的凝聚力。如此一來，不但老百姓們都可以強健體魄，戰爭爆發時也有能力保家衛國。久而久之，這種以練習「陣頭」來學習武藝的方式，也就成為坊間常見的習俗了。

至於，為什麼這陣頭會被稱為「宋江陣」呢？在《水滸傳》小說中，有位名叫宋江的好漢，帶領了一百零八條好漢對抗宋朝。而由於陳永華操兵的陣法，也是由一百零八人組成，因此有人便稱這種陣式為「宋江陣」了。

不過，行之多年以後，民間有人認為一百零八人的宋江陣，是一種不祥的陣式。因為，《水滸傳》故事中一百零八條好漢的下場都很淒慘，多死於非命，成為在陽間遊蕩的厲鬼；而且一旦有人擺出一百零八人的陣式，地方上又必定有災難降臨。所以後人就不再擺出一百零八人的陣式，演變至今，

宋江陣已多半只有三十六人組成了。

隨著時代的變化，各地的宋江陣，也演變出許多不同的招式與陣法，經常出現的有「單刀對傘」、「耙對盾」、「開斧表演」等招式，以及「梅花陣」、「七星陣」、「八卦陣」、「蜈蚣陣」等陣法。除了常見的盾牌、單刀、雙刀、斧頭之外，有時也會利用農村裡常見的雨傘、耙子當武器，目的就是要讓一般人隨時拿起身邊的傢伙就能上場戰鬥。

在臺灣的諸多鄉鎮中，高雄縣內門鄉的陣藝傳統，被公認是全國第一

的。很多內門人，從小就跟在長輩身旁習武，耳濡目染之下都可以耍個一招半式。而國小、國中也經常安排同學，在課餘時間排練宋江陣。近年來，還有不少表演藝術工作者進駐到這裡，試著用創意改良，讓陣頭變得更有趣。

下次如果你到了內門，看見有人互道「師兄好」、「師姐好」，可別懷疑自己聽錯了，他們可能正是勤練宋江陣的武林高手呢！

文化藏寶圖

【誰是宋江？】

宋江，是北宋宣和年間民變的首領，後來接受官府的招降。這件事情激發了明朝施耐庵的靈感，改寫成一部膾炙人口的小說《水滸傳》。小說的內容描寫魯智深、林沖、武松等三十六天罡與七十二地煞（道教對神煞的稱呼），到人間後所組成的一百零八條好漢，一個個被腐敗的官府逼上梁山，集結成對抗朝廷勢力的故事。

而宋江是個讀書人，因為曾經擔任基層官員，所以更加了解百姓的痛苦。到了梁山之後，因為他的思慮比較周密，就成了好漢們的首領。

源起年代 ● 公元十七世紀明鄭時期

分布地區 ● 全臺各地鄉鎮（以高雄縣內門鄉最著名）

相約熱鬧來辦桌

廚藝過人就能成為總鋪師嗎？

臺灣有句話：「吃飯皇帝大。」特別是值得慶祝的日子，更要邀請親朋好友，好好飽餐一頓。新人結婚要請大家喝喜酒、新嫁娘回娘家要擺歸寧宴、生小孩要請滿月酒、有人出遠門要幫他餞行……

那麼，這麼多的宴席，該怎麼吃才合乎人情義理呢？這可是不能馬虎的！如果辦得合宜，便能賓主盡歡，如果犯了禁忌，反而會落得不歡而散的下場。這些關於宴席的禮俗與規矩，在臺灣這塊土地行之有年，久而久之就成為特有的「辦桌文化」了。

所謂「辦桌」，是臺語的詞彙，指的是請專門負責外燴的的人，到家裡掌廚，準備宴客的酒菜。有歷史學家指出，它的起源可以追溯到中國北宋時期，當時有所謂的「司局」，是一個專門辦理酒席的機構，跟臺灣負責外燴的單位很類似。

也有許多人認為，臺灣最早的辦桌風俗，開始於高雄縣內門鄉。前面曾經提到，內門是專門出產武林高手的宋江陣重鎮，每次鄉民聚在一起，練完武功之後，教練都會準備簡單

的米、飯或湯，來給團員們補充體力，這就成了臺灣最早的辦桌形式。

後來，舉凡有值得慶祝的大事，左鄰右舍便會相約，齊心協力料理菜餚；有的人提供鍋子、有的人負責砍柴、有的人騰出爐灶、有的人端菜送酒……一陣熱鬧忙亂中，想吃的人，只要自己拿張椅子，找到空位坐下，就可以了。可以說，一家辦桌，幾乎整條巷子，甚至是整個村莊的人都動員起

來，而既然出了力氣，當然也可以享有口福。

由於一場筵席辦下來費時費力，又有許多小細節需要注意，慢慢也就出現了專門負責辦桌的「總鋪師」。剛開始的時候，總鋪師只要隻身一人，提供一些技術的諮詢，像是掌控火候、品嚐鹹淡，其餘的食材、人力與餐具，都由主辦者自己準備。時日一久，跟在總鋪師身邊的小徒弟，慢慢的也學到了烹飪的技巧，於是「師渡徒、徒渡師」，大家便組成分工精細的團隊，鍋碗瓢盆、爐灶筷勺樣樣俱全，成為內門人獨特的謀生方式：專門到外地幫人辦酒席。雖然現在全臺灣都有負責辦桌的外燴團隊，但是根據統計，內門鄉約有一百五十組總鋪師，平均起來每五戶人家，就有一家是靠辦桌維生，堪稱為臺灣外燴料理的一級戰區。

不過，要怎樣才能成為統領料理大軍的總鋪師呢？只靠廚藝絕對是不夠的！一個正統的總鋪師，在開始學習拿鍋鏟炒菜之前，可得先學會畫符咒。

怎麼說呢？萬一客人吃到一半，遇到了特殊狀況，犯了民俗的禁忌，他可是要負責幫他消災解厄；甚至連喉嚨卡到魚刺，總鋪師都要臨危不亂，立刻為客人解決狀況。

至於料理食物的方式，更要懂得依照辦桌的目的而調整。比方說，喜宴裡幾乎都有湯圓這道菜，代表著花好月圓的喜事，但是還得把一年春、夏、秋、冬的作物，如芋頭、番薯、白米、樹薯四種配料，加到湯圓裡，才能算是「四季皆福」；另外，洗塵宴裡吃豬腳的目的是要把霉運踢走，所以一定要吃到「豬蹄」的部位，否則根本不具任何意義；而滿月宴，一定要使用全雞，代表祝福孩子十全十

美，還有八寶油飯，象徵孩子一生不愁吃穿，最後還會以蛋糕收尾，才有生日的溫馨感覺；新居宴則一定要有一道白斬雞，象徵「起家」與「孵錢」。

俗語說：「十日前，八日後。」指的是辦桌前的準備功夫與善後工作。辦桌這麼辛苦，卻因為大家的齊心參與，而顯出臺灣特有的濃厚人情。現在，隨著社會發展，各國風味餐飲的引進，要請客，上餐廳不但方便，口味變化也多，但是那種「主人盡心，客人盡興」的熱鬧感覺，卻顯得淡薄了。該如何讓這項特有的飲食文化保存下來，是值得我們一起努力的事情。

文化藏寶圖

【客家人的「夯桌」習俗】

閩南人「辦桌」，客家人則「夯（扛）桌」。物資缺乏的年代，客家人頂多每戶只有個大方桌，每逢喜慶宴客需要桌椅時，左鄰右舍的壯漢們，就會扛著自家的方桌，與四個長板凳來支援。久而久之，這就成為客家人宴客的一項傳統了。

源起年代● 可上溯至三百年前的明朝

分布地區● 全臺各地

瑞氣千條的金光布袋戲

布袋戲中，誰才是真正的武林高手？

「咚！咚！咚！布袋戲要上演了！」一聽到開演的銅鑼聲，大人、小孩都樂翻天，趕忙搬板凳到廟埕，在戲棚前占個好位置。在臺灣早期，沒有電視，布袋戲可以說是臺灣最火紅的娛樂，特別是第二次世界大戰結束後，臺灣居民都開心極了，各大寺廟更爭相演出酬神戲，感謝神明保佑大家平安。

但這番好光景並沒有維持很久。公元一九四七年，臺灣發生了規模龐大的動亂——「二二八事件」，造成許多傷亡。為了避免類似衝突再發生，政府頒布了禁止集會遊行的法律，從此以後人們不能在街頭聚集，就算是有廟

會或看戲也一樣。

走投無路之下，一些布袋戲班只好配合政府演出教育戲碼。你見過不穿古裝的布袋戲偶嗎？這個時期，臺灣就出現許多穿著現代服飾的戲偶，高呼著「光復大陸，解救苦難同胞」、「三民主義，統一中國」的口號。不過似乎不太吸引觀眾，持續沒多久就消失了。

也有一些戲班，想到另謀生路的方法，他們先向戲院承租舞臺，再向觀眾售票演出。這樣一來，戲

班不必再依賴寺廟付出的酬神費生活，還可以在更舒適的環境表演。但是戲院裡並非每個座位都很好，布袋戲偶又小，有些角落根本看不清楚，該如何讓觀眾掏錢來看表演呢？

操弄戲偶的藝師們想出了一個辦法。在演出過程中，每逢精采的決鬥場面，他們就會拿出五色彩帶，配合著武打動作揮舞，製造出「瑞氣千條」的視覺效果；更在日光燈管上糊上五彩玻璃紙，再轉動燈管，把舞臺照得「金光強強滾」，讓觀眾有如身歷其境，感受到緊張刺激的氣氛。這樣的演出方式，有別於過去注重劇情的傳統，比較像是布

袋戲的動作片，後來就被稱為「金光布袋戲」。

金光布袋戲的推出，果然讓票房蒸蒸日上。一九四八年，臺北亦宛然掌中劇團的李天祿師父，改編了一本未完成的著作——《清宮三百年》，推出洪熙官、方世玉等少林俗家弟子三建少林寺的故事，結果造成轟動。後來因為小說沒有結局，導致劇情無法銜接下去，李天祿還請來學識淵博的吳天來負責編戲，同樣讓觀眾看得如痴如醉。

另外有位五洲園劇團的黃海岱師父，根據小說《野叟曝言》，改編了一齣《忠勇孝義傳》，男主角叫做「雲州玉聖人——史豔文」，他身穿白衣，手持龍泉寶劍，四處行俠仗義，結果也大受歡迎。到了一九七〇年，這齣戲甚至登上電視螢幕，在臺視電視公司播出。後來黃海岱的兒子黃俊雄製作了《雲州大儒俠史豔文》一劇，更創下百分之九十七的高收視率，真是「轟動武林，驚動萬教」！史豔文還因此成為第一位紅遍大街小巷的布袋戲巨星！

隨著時代變遷，電影、電視劇、廣播劇等，戲劇的表演形式愈來愈多，金光布袋戲因此經歷了一段黑暗期。幸好，危機就是轉機！黃俊雄的兒子們接掌了家族事業後，也為古老的表演添加了新元素。他們製作了一系列「霹靂布袋戲」的錄影帶，延續金光布袋戲的聲光效果，且融入爆破、鋼絲、電腦動畫技術，讓看布袋戲就像看好萊塢電影般精采。這批錄影帶不但大受歡迎，還吸引到一批年輕戲迷。後來霹靂布袋戲成立自己的專屬電視臺，還拍成電影呢！

現在，金光布袋戲又有了新一代的巨星，那就是霹靂布袋戲系列的男主角「素還真」。相較於剛正不阿的史豔文，素還真的行事作風比較圓滑，個性風趣幽默，多半以計謀而非武功取勝。關於這位新英雄，布袋戲迷們有著不一樣的評價，有些人欣賞他的足智多謀，有些人則認為他心機太深，還是欣賞剛正不阿的史豔文。那麼，你喜歡哪一型的武林高手呢？

文化藏寶圖

【布袋戲起源的傳說】

據說，明朝時的福建省泉州，有一位名叫梁炳麟的讀書人，在進京趕考的途中，夜宿於一間寺廟。當晚他夢見了福祿壽三仙，醒來以後認為是個好預兆，便向廟裡的神明求籤，籤詩上寫著：「三篇文章入朝廷，中得三等甲文魁；功名威赫歸掌上，榮華富貴在眼前。」但是，後來梁炳麟落榜，只好回家鄉當私塾老師。他自己考運不佳，可是教出來的學生卻個個都是舉人、秀才。梁炳麟自嘆懷才不遇，把無奈與不滿都編成了布偶劇，在鄉里間表演，自娛娛人。沒想到他的演出大受歡迎，許多人主動邀請他表演，這時他才明白所謂「功名歸掌上」的真意。

源起年代● 公元一六二四年至一六六二年荷蘭統治時期

分布地區● 主要分布在大甲溪以南

臺灣製糖業

為什麼田野間會出現神祕小火車？

許久以來，在臺灣中南部的田野中，經常會出現一種很特別的小火車，它和平時我們所搭乘的高鐵或臺鐵列車不太一樣，是頂著煙囪的黑色車頭，而且拖曳的一節節車廂，是行駛在一片片油綠的甘蔗田中，搖搖擺擺的前進；它沒有固定的發車時刻，也看不見有人排隊等著搭乘，感覺非常神祕。

其實，這神祕的列車，並不是載運乘客用的，它主要的功能，是把田裡採收的甘蔗，運送到糖廠，好製成砂糖。因為車廂體型比較小，軌道也只有正常鐵路的一半，所以人們幫它取了一個綽號，叫做「五分車」。

神出鬼沒的五分車，在早年的鄉村中，是孩子們的最愛，因為只要它一出現，就有機會撿到行駛中掉落的甘蔗，品嚐到甜蜜多汁的甘蔗味。然而，這長長的身影，背後卻牽引著一段充滿汗水與淚水的故事，那是臺灣製糖業的興衰史。

從荷蘭人統治臺灣時期開始，臺灣就已經在種植甘蔗，並將它製成砂糖銷售到其他國家了。一直到清朝為止，中國大陸

與日本都還是臺灣砂糖最大的輸出地呢！早期製糖的方式非常簡陋，首先，工人會把甘蔗採收回來，將甘蔗削皮、去頭、去尾，之後將它投入特製的石磨中，以牛隻拉動石磨運轉，從兩輪的間隙擠出糖汁，然後再將這糖汁風乾成砂糖。由於成品還必須搬到附近的港口，等待船隻來運載，可以知道，從製造到出口過程有多麼繁雜、費力，蔗農們又有多辛苦！

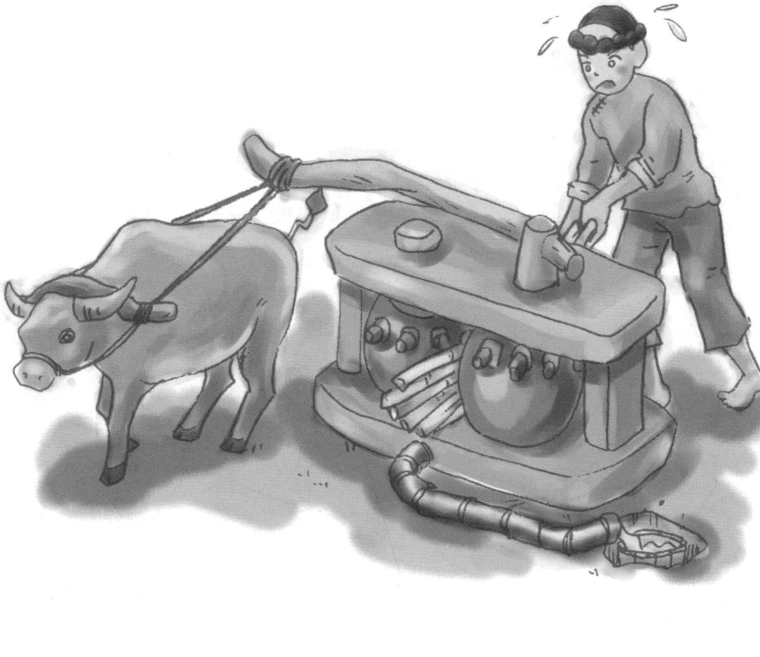

日治時代以後，古老的製糖產業有了技術上的革新。公元一九○○年，日本人在今日的高雄縣橋頭鄉，成立了「臺灣製糖株式會社」。「會社」，

就是公司的意思。這是臺灣第一座現代化的製糖工廠，從榨汁、熬煮、提煉、結晶到萃取，都逐漸以先進的機械，取代傳統的人工，更鋪設了五分車鐵路來運輸原料，大大提升了砂糖的產量。

然而，蔗農的日子卻沒有因此變好，反而更加水深火熱。因為日本政府強制規定，蔗農只能種植甘蔗，並賣給固定的糖廠，不得私下交易。在毫無選擇權的狀況下，不管價格壓得多低，他們都沒有選擇不賣的權力。有些奸商甚至會在磅秤上動手腳，讓農民辛苦收成的甘蔗，硬生生少了好幾斤，因此大家都說：「天下第一憨，種甘蔗乎會社磅（臺語）。」

還有些人，在走投無路的情況下，只好跟官方抗爭。一九二五年，彰化縣二林鎮的蔗農們，就拒絕了糖廠的收購，要求更公平的交易，只是換來的是強制採收與被逮捕的下場，許多人因此吃上牢獄之災。

臺灣光復之後，製糖成為政府的國營事業，蔗農出售甘蔗的價格，得到

了國家的保障，生活逐漸有了改善。好一陣子，靠著外銷砂糖，讓臺灣賺進不少外匯。可惜的是，隨著經濟的起飛，將零件加工組成商品的輕工業，成為外銷的主力，而製糖的產業，則因為人工與原料所需的成本太高，導致負責經營的臺糖公司連年虧損。還有蔗農開玩笑說：「風水輪流轉，過去是蔗農做憨呆，現在換臺糖了！」

到今日，雖然許多糖廠都停工，甚至成為廢墟了，但是，為了讓大家銘記這段蔗農用血汗換來的光榮，臺糖公司把位於高雄橋頭的臺灣第一座糖

廠，改建成為臺灣糖業博物館，讓人人都能夠透過參觀這座古老的糖廠，了解製糖過程的辛苦。而那些曾經運送甘蔗的五分車，則被加上了座位，改造成觀光小火車，帶遊客飽覽糖廠周圍的風光。

這持續運轉的五分車，宛如提醒著我們不可以忘記一句老話：「一粒米，百人汗，一支甘蔗是萬人血汗。」你也想體驗曾經風光一時的臺灣製糖文化嗎？跟著五分車，來趟懷舊巡禮吧！

文化藏寶圖

【橋頭糖廠與瑞竹】

公元一九二三年的四月，日本皇太子到臺灣來巡視，當時正逢天皇生日，所以，皇太子到了高雄，看到西子灣旁的柴山，便把它改名為「壽山」。後來，皇太子又巡視到了一間糖廠，在臨時搭建的竹棚上，發現一根竹子剛剛發了芽，大家都認為這是吉祥的徵兆，便把這株竹子稱為「瑞竹」。後來，這株瑞竹被輾轉移植到橋頭糖廠，成為重要的精神象徵，到今天都還看得到喔！

源起年代 ● 公元一九〇〇年左右的清朝末年

分布地區 ● 由宜蘭發源，流傳到全臺各地鄉鎮

豪華絢麗的歌仔戲

誰才是臺灣歌仔戲的第一天團？

說到歌仔戲，你可能會想到電視上，由楊麗花、葉青等大明星領銜主演的歌仔戲連續劇。其實，在廟會慶典時，搭建起一個臨時的舞臺，以「野臺」的方式四處巡迴演出，才是歌仔戲最原始、最正宗的表演方式。

或許你會覺得奇怪，在電視上看戲，跟在廟口看戲，不是都一樣嗎？那可不！如果你曾經搬著板凳，親身坐在戲臺下，就能體會現場看戲的精彩與刺激了。一般來說，電視上演出的歌仔戲，都有固定劇本，演員只能照本宣科的演出；而野臺上經常是沒有固定劇本的，由講戲先生臨時決定戲碼、分

派角色、講述內容，剩下的全由演員自行發揮。因此，演出時比較有機會了解演員的現場反應，甚至是跟觀眾對話，臺上、臺下打成一片，非常有趣！

如果遇到「拼臺」（也有人說「拼場」或「拼戲」），那才真教人熱血沸騰。所謂「拼臺」，是廟方請幾個團體同時演出，為了爭取最多的觀眾，各大劇團都會拿出看家本領較勁。這邊才耍了花槍贏得喝采，那邊隨即就用高亢的嗓音賺來掌聲，最終，得利的還是觀眾，哪兒聲勢看漲就往哪兒去。

在臺灣的歌仔戲團中，「明華園」就是因為懂得現場看戲的樂趣，用創意把觀眾帶回戲臺下，而成為臺灣歌仔戲的第一天團。

公元一九二九年，日本統治臺灣時期，陳明吉就在臺南創立了「明聲歌劇團」，後來因為跟戲院合作，加入了戲院老闆蔡炳華的名字，便改名為「明華歌劇團」。

自律甚嚴的陳明吉常說：「舞臺上忠孝節義，舞臺下卻偷雞摸狗，一定說服不了觀眾，更說服不了自己。」所以，兒孫與徒弟們都認為他不僅在臺上是位英雄，即使下了戲，也是一條好漢，紛紛以他為榜樣，時時刻刻都不敢違逆師父的教訓。

臺灣光復後，「明華歌劇團」改名為「明華園」，象徵家族興盛的意思。在這位大家長的領導下，就算演出歌仔戲必須四處奔波，陳家人還是全部都投入這個領域，沒有例外。這種為藝術奉獻的精神，還讓他們被聯合國教科文組織選做「國際家庭代表」呢！

不過，唱戲光憑「忠孝節義」以及「熱情堅持」是不夠的。一九七九年，陳明吉覺得自己年紀大了，便把畢生的事業，交給了他的第三個兒子，明華園中唯一不會演、不會唱的成員——陳勝福。

陳勝福雖然沒有深厚的戲劇底子，但是因為長年在外工作，更曾經參與電影製作，所以聽到許多外界對歌仔戲的看法。他在接棒之後，便開始思考，怎麼樣讓明華園有一番新的氣象。

那時候，雖然電視上歌仔戲的演出很受歡迎，許多小生都有許多戲迷，所到之處萬人空巷。但是，實際在舞臺上演出的歌仔戲，卻愈來愈沒落，很

多原本唱野臺戲的小生、小旦，吃不了風吹雨淋的苦，都乾脆改行演電視、電影，當明星去了。觀眾看慣了大成本的電視、電影，也慢慢覺得傳統戲班的演出很老氣。

為了改變這樣的現象，陳勝福開始為傳統歌仔戲注入新元素。他把一成不變的故事，添加新的角色與情節；將原本簡陋的野臺，改為華麗炫目的場景；把老舊的固定戲服，改為專為角色設計的舞臺造型；一般的武打身段也被認為不夠看，演員因此被要求得時常吊著鋼

絲，在舞臺上頭飛天遁地……而最讓人們印象深刻的，則是新編的《超炫白蛇傳》中，演到了法海水淹金山寺時，明華園還用上了向消防隊借來的大型噴水車，讓在場的觀眾都感受到漫天大雨的氣氛，十分清涼有勁。

明華園這樣獨特的演出方式，讓觀眾又找回了看戲的臨場感，更讓臺灣的歌仔戲成為躍身國際的表演藝術。現在，不僅是臺灣人，連世界各地的觀眾都相信，看明華園的歌仔戲一點都不落伍，反而很新潮呢！

文化藏寶圖

【最早的歌仔戲——落地掃】

早期的臺灣歌仔戲形式很簡單，只要在市集或大街人潮聚集處，擺起簡單的東西就能唱歌，或者是來段武打動作，好吸引顧客上門買藥。這類戲碼大概只有四齣：《陳三五娘》、《山伯英臺》、《呂蒙正》、《什細記》，而這種表演形式，就稱為「落地掃」。

流傳地域●苗栗縣
舉辦日期●每隔一年的農曆十月十五日

原住民的鬼節——矮靈祭

為什麼要祭拜又矮又醜的矮黑人？

名作家司馬中原說：「中國人怕鬼，西洋人也怕鬼。」因此，無論是華人的中元節，還是西方的萬聖節，因為有鬼魅增添神祕色彩，都顯得特別的「有氣氛」。在原住民的傳統中，也有一個屬於鬼的祭典，那就是賽夏族為矮黑人鬼魂所舉辦的「矮靈祭」。

矮黑人是誰？為什麼賽夏族要祭拜祂們？很久以前，賽夏族與矮黑人都住在臺灣中北部的山區中，隔著一條河流比鄰而居。由於賽夏族的女孩子都長得很漂亮，立體而深邃的輪廓，玲瓏有致的身材，不要說村中的男人看了

心花怒放，連住在河對岸的矮黑人，都經常從遠方朝村裡痴痴的望。

說到這群矮黑人，真是讓族人們又害怕、又討厭。他們的身材十分矮小，膚色極為黝黑，就好像在火堆裡燒過的木炭，加上住在洞穴裡，黑漆漆、髒兮兮的模樣，對喜愛美麗事物的賽夏族人而言，簡直醜得要命，連多看他們一眼都嫌煩。

可是，這群看似兒童般的黑色小矮人，卻有著深不可測的法力與智慧。他們力大無窮，懂得占卜與法術，對於農耕技術尤其精通。每年稻穀成熟的時節，賽夏族人們都會請矮黑人到村裡來，替即將收成的作物做一番體檢，了

解溼度、熟度、飽滿度，好確定採收的日期；收成之後，更不敢忘記宴請他們，總是邀他們一起飲酒高歌，以表達感謝之意。

表面上，賽夏族人們非常感激矮黑人的幫助，事實上，村民們非常憎惡他們。因為矮黑人不但是酒鬼，更是出了名的大色鬼，經常找機會調戲村裡的女性。一旦有女孩落單了，矮黑人就會用法術誘拐，對她們上下其手。更誇張的是，矮黑人還會使出自己擅長的隱身術，偷偷潛進賽夏族的村落，躲到女孩子的房間裡，大家根本察覺不到。直到有女生莫名其妙懷孕了，才知道矮黑人曾經來過。

有一天，一個村民眼睜睜看著自己的妻子，又被矮黑人調戲。他在心裡

暗暗下定決心，一定要讓這些醜陋的東西付出代價。夜裡，他偷偷爬到懸崖邊，將矮黑人經常乘涼的樹砍到將斷未斷的程度，再用陶土修補，以掩飾斧頭的痕跡。

隔天豐年祭結束後，矮黑人打算小睡片刻，一個接著一個，全都爬到了樹幹上的樹叢中，只剩下三個矮黑人還在地上，就在這時，巨大的樹「啪」的一聲，斷裂了。樹上的矮黑人來不及反應，全都跟著樹身墜入萬丈懸崖中。

這下子矮黑人幾乎要被滅族了，三個還來不及爬上樹的倖存著，怕被趕盡殺絕，拼命向東方逃去。離去前，他們呼喊著：「忘恩負義的賽夏人！我們將你們當作是朋友，讓你們年年都有豐收的好日子，你們卻恩將仇報。矮黑人將會用最惡毒的咒語詛咒你們！」

賽夏族終於解除了痛苦，不用再擔心自己的女兒或妻子被騷擾。可是，從那天起，村裡的稻田不再年年豐收，更經常發生糧食短缺的情況。村民們想起了矮黑人的詛咒，隱隱覺得是祂們在暗中作怪，心裡感到非常的惶恐。為了找回豐收富足的日子，從此之後，稻熟後的農閒時節，賽夏族人都會舉辦盛大的祭典，向死去的矮黑人靈魂賠罪。

直到今天，分居在苗栗縣南庄鄉和新竹縣五峰鄉的賽夏族人，每兩年都會在一處叫做向天湖的湖泊邊舉行「矮靈祭」。整個祭典可以分成「迎靈」、「娛靈」、「送靈」等三個階段，前後共六天。

因為當年矮黑人是往東方逃走，所以祭典的一開始，負責主祭的人，就會向東方射箭，通知矮靈前來接受祭祀。接著，迎靈儀式開始，族人會以迎靈舞迎接矮靈到來，請祂們享用牲禮以及香煙。迎靈時，每個人的身上以及家中的角落，都要綁上芒草，據說這樣可以防止矮靈作怪。

緊接著進行的娛靈儀式，則是矮靈祭的高潮，一連三個晚上，族人都要通宵的唱歌跳舞，以表示對矮靈的虔誠與尊敬。在歌舞狂歡中，勇士們會扛著彩布製成的神傘，上面點綴著鏡子和亮片，象徵著東方和太陽。當子

夜時分唱到矮靈遇害的段落時，所有的聲響和舞蹈都會停止，由主祭者引領著族人面向東方，對矮人默哀懺悔，而這時也是整個祭典的高潮。

最後一天的凌晨，到了送靈的時刻，跳舞的隊伍已經逐漸散去，此時勇士會把樹木砍下，抛向東方，整個矮靈祭才告落幕。據說，每回祭典期間，都傳出許多不可思議的超自然現象，使人不得不相信，矮靈真的就在身旁，接受賽夏族人的祭祀與道歉呢！

文化藏寶圖

【臺灣真的有矮黑人嗎？】

在臺灣，一直流傳著關於「矮黑人」的傳說，可惜考古學家始終無法找到他們的骸骨、化石等有力的證據。然而，有趣的是菲律賓的呂宋島上，到今天還存在著許多矮人的部落，許多賽夏族人都認為，這裡很可能藏著關於矮靈傳說的真相。

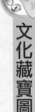

流傳地域 ● 花蓮縣、臺東縣

舉辦日期 ● 每年七月至九月（各部落時間不同）

讚頌祖靈的豐年祭

為什麼阿美族人那麼會唱歌？

七到九月的炎夏，正是小米收穫的季節，每年到了這個時節，中央山脈的東側、立霧溪以南、臺東縱谷及東海岸平原上，總是洋溢著歡欣鼓舞的氣氛。因為分布在這一帶的阿美族部落，會在這時，一個接著一個的展開祭祀祖靈的慶典，散居在外地的族人們，也都會回鄉共襄盛舉，這就是阿美族人最重要的祭典——豐年祭。

關於豐年祭的由來，阿美族部落裡流傳著一則動人的傳說，到今天仍為人津津樂道。據說，很久以前，部落附近來了一群身材高大、善於易容、

擅長法術的異類，自稱「阿里卡該」。阿里卡該平日住在美侖山上，不打獵也不種田，懶散得要命。而且，自從他們出現以後，向來平靜的部落，發生了許多離奇事件……

有一次，一個阿美族的婦女，帶著兩個孩子下田去工作，一個是七、八歲的小女孩，另一個則是沒斷奶的小嬰兒。等忙到一個段落，這位母親打算要餵嬰兒母奶時，旁邊的小女孩感到很疑惑，便問媽媽：「不是才餵過嗎？為什麼要再餵一次呢？」母親嚇了一跳，急忙看看孩子，才發

現，這個嬰兒已經全身冰冷的死去了。類似的事情不斷發生，讓部落裡人心惶惶。大頭目也查不出個所以然來，只好把全村的小孩都聚集起來，由成人輪流值班來照顧。這樣做果然平靜了好一陣子，可是阿里卡該因為沒機會下手，而感到非常飢餓，他們想出了另一個方法，從屋頂上伸出長手臂，打算用強硬的方式搶走小孩。幸好，有人即時發現，立刻用粗大的繩子，套住這隻手臂。但是，突然「啪！」的一聲，手臂斷掉了，變成了巨大的樹幹。

阿美族人這才恍然大悟，一切都是阿里卡該在作怪！他們將族裡的勇士集結起來，組成了一支討伐軍，誓死消滅阿里卡該，保護族裡的婦孺。可是，交戰了好幾回合，這支軍隊都出師不利，犧牲了很多人。

正當大家一籌莫展之際，海神在頭目的夢裡現身了，祂說：「阿里卡該不是人類，你們要用『布絨』來對付才有用！」所謂「布絨」，就是用蘆葦製成的箭。這個方法果然奏效，當阿美族人一亮出布絨，阿里卡該立刻全部跪地求饒：「求求你們！不要使用布絨，我們願意無條件投降！」心胸寬大的阿美族人，看阿里卡該真的有悔改的意思，便放他們走了。

這段浴血奮戰的事蹟代代相傳，後來演變成阿美族人的重要習俗，每年農忙結束之後，大夥兒必定聚在一起跳舞慶功。同時，村中的勇士們必須依據年齡分組，做體能的競賽，好將祖先英勇抗敵的精神傳承下去。日復一日，這樣的儀式經過時代的演變之後，漸漸成為今天所謂的「豐年祭」了。

雖然，各個部落的豐年祭進行方式，多少有些不同，但是，大體來說都不脫「歌」與「酒」兩大元素。阿美族人認為，「歌聲」是跟祖靈溝通的媒介，當優美而整齊的歌聲傳達天際，便是最真誠的祈禱，能呼喚祖先的英魂來到此地；而「酒」更是一種儀式，據說祖靈會在酒杯的光影下停駐，好感受那股歡樂的氣氛，只要飲下酒精，讓身體放鬆，自己就會成為獻祭的器皿，通往祖先所引導的路。

在豐年祭中，男性與女性，也分

別扮演著不同的角色。按照傳統習俗，豐年祭會在夜晚揭開序幕，第一天迎接祖靈的時候，只能有男性在場，禁止女孩子參與；可是到了最後一天，女孩子得全部參加，必須由女孩子的歌聲做結束，才算完成送靈的儀式。

阿美族人能歌善舞，是眾所皆知的。豐年祭中，當然也少不了舞蹈一番，豐年祭的舞蹈，不僅每年都吸引許多遊客前往觀賞，也經常在重要的國際場合中表演，為臺灣贏得不少目光與掌聲。因此，阿美族人也算是臺灣的外交大使呢！

文化藏寶圖

【女人為尊的阿美族】

漢民族重男輕女的現象，在阿美族的社會裡，是不存在的。因為，阿美族人「以女為貴」，幾乎都是跟從母姓；自他們呱呱落地開始，就是母親的孩子，不是父親的，每個宗族的大家長，也都是最年長的女性。因此，我們可以說阿美族是臺灣的「女兒國」呢！

流傳地域‧蘭嶼
舉辦日期‧每年三月至十月中旬

向海洋致敬的飛魚祭

為何雅美族的男人一定要會捕魚？

在臺灣東南方的太平洋上，有個遺世獨立的島嶼。從上空向下鳥瞰，就像是仙女掉落在海上的珍珠一般，無暇而純淨，被陽光照耀得閃亮動人，它是臺灣僅次於澎湖的第二大島，原住民稱這裡為「人之島」；因為島上生長著美麗的蝴蝶蘭，所以漢人們又叫它「蘭嶼」。

許久以來，蘭嶼一直是雅美族（也叫做達悟族）世代賴以維生的樂園。因為有著海洋的隔絕與保護，使島上的生活不受外界的打擾，因而形成了得天獨厚的海洋文化。雅美族人對海洋有多麼崇敬？看他們每年專為捕飛魚所

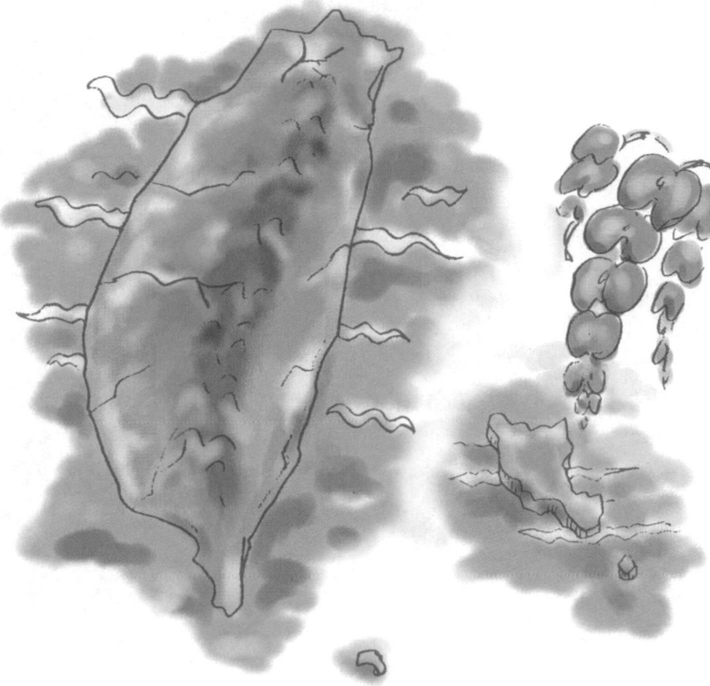

舉辦的「飛魚祭」就知道。飛魚，是蘭嶼島上盛產的魚種，也是雅美族人主要的食物之一。每年的三月到六月，是飛魚的產季，在下海捕魚的期間，雅美人會依序舉辦好幾次的祭祀儀式，從祈豐漁祭、招魚祭、初夜漁祭、船組解散、小船晝漁祭、飛魚晝食祭、飛魚收藏祭、飛魚漁止祭，一直到十月中旬的飛魚終食祭為止，這個長達七個半月的飛魚祭，才算告一段落。

對雅美人來說，會游泳、捕魚是非常重要的一件事情，就像臺灣山區原住民重視打獵一樣，是老祖先傳承下來，最基本的維生技能。一個不懂得捕魚的男人，在這裡是會被瞧不起，甚至娶不

到老婆的！可是，為什麼要祭祀飛魚呢？在部落的傳說裡講到，當雅美族人的祖先第一次發現飛魚時，並不太懂得它的食用方式，只當它是一般的漁產，便將它和撿來的魚、蝦、蟹、貝類一起煮食，混在一起吃下肚。不久之後，吃過飛魚的人都染上了怪病，久久無法治癒。

直到某天，飛魚神現身，祂告訴族裡的長者：「貝類跟螃蟹，是飛魚賴以為生的食物，放在一起吃，等於對飛魚趕盡殺絕。你們生的病，便是上蒼對你們的懲罰。」祂將捕捉飛魚與食用飛魚的方法，

告訴了這位長老，再請他轉告給部落的居民。從此以後，大家不但可以安心食用飛魚，奇怪的疾病也逐漸消失了。

根據飛魚神的指示，飛魚是來自天上的使者，大約三月到六月之間，祂會從天而降到海面上，過了這段時間就會被神召回天宮。如果雅美族人想要捕抓飛魚，必須先舉行盛大的慶典，以歌舞向天神與飛魚神表達感謝。

所以，約莫在漢人的農曆新年過後，祈豐漁祭便會為飛魚祭揭開序幕。凌晨時分，大家首先把部落裡的船隻，運送到海邊的沙灘上集合，然後船員們會回到共同的住所，分享各家送來的煮好的魚和芋。

隔天，繼續進行招魚祭，參加捕魚的船員們，都會穿戴上傳統的禮服與銀帽，並且戴上銀手環，配著小刀，拿著沾過供品鮮血的竹子，到自己的魚船組參加飛魚祭的祭典儀式。等人員都到齊後，負責主祭的長輩會帶領著每艘船的船員，拿著銀盔、水瓢做出招呼飛魚的手勢，象徵邀請飛魚降臨，並

且祈求神明保佑今年的豐收。這儀式完成後，每艘船還必須殺一隻雞，並且把雞血塗在石頭上，代表今年漁獲會像石頭一樣堅定長久。

捕來的飛魚，為了方便儲存，會被製成魚乾存放，這樣可以將保存期限延長到三個月左右。到了大約十月的時候，存量已經非常稀少，食用的期限也到了，族人就會舉行最後一場飛魚終食祭。大家把家裡

的飛魚全部煮熟，與親朋好友一起分享，彼此說些祝福的話，為飛魚祭畫下完美的句點。而從這天開始到隔年的飛魚祭之前，都不得再捕捉或食用飛魚。

從祈豐漁祭開始，直到飛魚終食祭為止，雅美族裡不論男女都必須嚴守各項禁忌。好比說，在海邊舉行完祭典之後，如果手沾到了祭血，得用乾淨的泉水把手洗淨，絕不可以隨便用一旁的海水清洗。因為，據說一旦在海邊洗手，將會引來大浪和海嘯。

這些祭典與禁忌，是雅美族人對神

靈及大自然崇敬的表現，也許有的人認為太迷信，但其實，「飛魚終食祭」的舉行，讓雅美族人可以在食用期限內，盡快把飛魚吃完，不致於浪費，或是吃到不新鮮的魚肉；而非飛魚祭期間禁止捕抓飛魚，更可以讓魚群得到適當的繁衍和成長，在大自然中生生不息，這些隱藏其間的古老經驗與智慧，還真值得我們學習呢！

文化藏寶圖

【飛魚真的會飛嗎？】

根據科學家的研究，全世界的飛魚種類，可以達到五十種以上。在臺灣，也可以看見高達二十多種的飛魚。飛魚喜歡停留在溫暖的表層海水中，時常逗留在靠近岸邊的石礁區，一旦受到驚嚇就會跳出水面。牠的胸鰭比一般魚類長很多，大約是超過身體的一半或更多，因此在跳出水面時可以幫助滑翔，使得跳躍距離長達兩百到三百公尺，遠遠看去就像是在飛一樣。不過，飛魚並不是鳥類，所以無法真正的迎風飛翔。

分布區域●以臺灣東南沿海一帶最常見
代表種類●小抹香鯨、偽虎鯨、侏儒抹香鯨

和海上的鯨魚做朋友

鄭成功真的是一隻大鯨魚變的嗎？

我們所居住的臺灣，是一個四面環海的島國，除了南投縣以外，每個縣市都擁有美麗的海岸線；西邊濱臨著臺灣海峽，是平緩的沙岸，東邊則被太平洋環抱，是曲折的岩岸。因此，自古以來，島上的生活都跟海洋脫離不了關係，料理食物的鹽巴是用海水晒出來的，海中的魚、蝦、貝類更是我們主要的食物來源之一。

然而，在眾多的海洋生物之中，有一種生物不是拿來吃的。對臺灣人而言，牠有著與眾不同的意義，有人說，牠是庇佑臺灣的海洋之神；有人說，

我們是牠的後代子孫；更有人說，整個臺灣島就是牠的化身。你猜到牠是誰了嗎？牠就是海中最大的動物——「鯨魚」。

在原住民的傳說裡，鯨魚是來自海洋的動物之神，擁有神奇的靈力，如果你尊敬牠，牠就會默默保佑你；如果你冒犯牠，那牠也會不留情的處罰你。

據說，有一次，一名叫做沙拉萬的原住民男子出海捕魚，發現了一個無人的小島，便想說偷個懶、休息一下，於是在島上生起火來烤魚。但是，忽然間天搖地動起來，而且竟然是這個島在移動！沙拉萬這才知道自己所處的地方並不是無人島，而是一隻大鯨魚的背。

鯨魚載著他，在一望無際的大海上，也不知道游了多遠，到了一個只有女人的國度。這兒的女人都沒看過男人，以為沙拉萬是一隻豬，還把他關到豬圈裡，打算養肥後宰來吃。幾天以後，沙拉萬趁機逃到海岸邊，又看見鯨魚等在岸邊，就好像牠早就料到這一刻似的。但他沒時間多想，立刻讓鯨魚載他回家。

只是，沙拉萬回到家鄉，發現自己離開的幾天時間，家鄉卻已經過了幾十年。過去的鄰居、朋友都已經離開人世，沒有人認識他，也沒有人願意相信他的經歷。於是他告訴大家：「我家的後院，埋了一塊磨刀石，不相信的話，你

們可以去挖挖看！」

村民們在他指定的地點，果然挖出了一塊陳舊的石頭，這才相信了他的故事。為了報答鯨魚的救命之恩，此後部落裡的人都會在固定的日子裡，用鹽水、豬肉、糯米製成點心，放到溪水中，讓水流帶著他們的祭品，到海中讓鯨魚神品嚐。據說這樣可以讓鯨魚神保佑他們年年豐收富饒！

在漢人的野史記載中，也可以發現鯨魚的身影。其中，最有名的莫過於「國姓爺」鄭成功的故事了。據說，這位出身海盜世家的愛國英雄，便是來自東方海洋上的大鯨魚，轉世投胎的呢！

更有人繪聲繪影的形容，公元一六六一年，鄭成功率領了明朝的一萬一千七百名士兵，在鹿耳門與荷蘭海軍激戰時，荷蘭士兵就看見了遠方海面上，有個人身穿紅衣，騎著鯨魚直奔而來。那一晚，鄭家軍果然勢如破竹，一舉拿下臺灣島，趕走荷蘭人。不過，這位神鯨轉世的大英雄，在攻下臺灣

之後，任務已宣告完成，必須回到天庭去，因此在他逝世之後，還有人夢見騎鯨的王爺出海去了呢！

只不過，隨著時代變遷，文明不斷演進，人類對大自然的敬畏之心，竟也逐漸消失。曾經，鯨魚是海島上居民崇敬的神明，但到了日治時代，卻一度淪為捕鯨人刀俎下的生財工具。一九一三年到一九六七年間，墾丁成了東南亞最大的捕鯨中心。不到五十年的時間，臺灣地區有上百隻鯨魚慘遭屠殺、販賣。

全球的鯨魚，在沒有禁止的濫捕

下，數量急遽減少，環保團體紛紛展開搶救鯨魚的行動。這股全球的保育浪潮，促使政府在一九八一年七月，明令禁止捕殺鯨魚。也因此，現在如果你到東海岸遊玩，搭乘賞鯨船出海，就有機會可以看到鯨魚美麗的倩影了！

文化藏寶圖

【鯨魚不是魚】

一說到鯨魚，大家都會想到，牠是海中最大的魚。但是，鯨魚並不是魚類喔！牠是生活在海中的哺乳動物。牠不像魚類一樣是透過鰓，直接利用溶於水中的氧氣呼吸，而是必須不時浮到水面上呼吸，就像人游泳時得浮出水面換氣一樣。而且，牠們不是卵生而是胎生的，也就是說，鯨魚媽媽不會生出一大堆的魚卵，而是產下一隻、一隻的小鯨魚。

夏夜裡閃耀的火金姑

分布區域・海拔一千五百公尺以下無汙染的地區

代表種類・端黑螢、黑翅螢、黃緣螢

為什麼螢火蟲要在黑暗中發光呢？

你有沒有聽過這首有趣的臺語童謠：「火金姑，來吃茶。茶燒燒，配香蕉。茶冷冷，配龍眼。龍眼要撥殼，換來吃芭樂，芭樂仔全全籽，害阮吃一下落嘴齒。」裡頭唱到的「火金姑」，就是夏夜裡會發光的「螢火蟲」。早期的臺灣是農業社會，沒有光害及工業汙染，所以到處都看得見螢火蟲。夏天的夜裡，大家會在飯後到院子裡乘涼，一邊泡茶聊天，一邊看著流星般的螢火蟲。

那麼，為什麼螢火蟲又叫「火金姑」呢？話說宋太祖趙匡胤還沒當上皇

帝時，有次出門在外遇到傾盆大雨，只好到一間破廟裡躲雨。當他踏入廟門，發現有個女子已經早他一步到那裡躲雨了。

在保守的古代，男女之間的分際是很清楚的，就算只是兩人共處一室，也是天大的事情。趙匡胤見到這位「金姑」姑娘很為難，便提議：「我們也算有緣，不如就在神明前立誓，約定成為兄妹，日後互相扶持，也不會被人誤會。」金姑接受這個提議，兩人便向神明上香，結為金蘭。

大雨過後，身為兄長的趙匡胤怕金姑遇到壞人，便護送她回家。金姑雖然外表柔弱，卻

也不是泛泛之輩，而對命相與法術頗有研究。她看見趙匡胤的頭上，隱隱發出金色光芒，知道他有皇帝命，加上他氣宇非凡，早就偷偷愛上了他。

於是金姑捨不得讓趙匡胤太早離開，想盡辦法暗示他，比如，看到路旁的花草，她便問趙匡胤：「大哥！你瞧這叢花草，是花好看還是葉子好看？」呆頭鵝趙匡胤沒聽出她話中有話，傻傻的說：「自古以來都是綠葉襯托紅花，當然是花好看啊！」金姑立刻回答：「那你遇上了好看的花，怎麼不採下來帶回家？」這時，趙匡胤才知道金姑的心意。其實他很喜歡金姑，但礙於禮教，兩人已經當了兄妹，怎麼做夫妻呢？只好繼續裝傻下去。

到了金姑家裡，金姑又很努力的想留下趙匡胤。但是趙匡胤始終不肯，最後還是轉身離開。看著他逐漸遠去的身影，金姑非常難過，更擔心一路上自己露骨的言行，日後傳出去會名聲掃地，就上吊自殺了。

金姑死了以後，仍然捨不得趙匡胤，更擔心他走夜路不方便，於是她的

靈魂化成一隻螢火蟲，飛在趙匡胤的前方，照亮他回家的路。從此以後，大家看見螢火蟲，知道牠是皇帝義妹的化身，都尊稱牠一聲「火金姑」！

在原住民的傳說裡，也有關於螢火蟲的故事。泰雅族人認為，螢火蟲是愛哭女生的化身，牠在黑夜裡，打著燈籠到處尋找，希望可以遇到一個可靠的男人。你瞧！牠們上一刻還在你眼前發光飛舞，下一刻就躲到草叢裡，是不是像極了膽小的愛哭鬼呢？

從科學的角度來看，泰雅族的傳說也不無道理。因為螢火蟲的發光行為，正是要在黑暗中發出求偶的訊息，尋覓傳宗接代的伴侶。因此在光害嚴重的地方，螢火蟲的光芒無法被看見，就會造成生育困難，無法繼續繁衍下去。

螢火蟲不但膽小，而且非常的潔癖。牠的一生，都必須居住在乾淨的環境裡。溼度要剛好，氣候要溫和，更重要的是，不可以有工業汙染！也就是這個原因，讓現在的臺灣愈來愈難看到螢火蟲了。

目前，一些海拔不高的山林裡，還能夠看見螢火蟲的蹤跡。像臺北市的陽明山、臺北縣的烏來、新竹縣的內灣、臺中縣的東勢林場、南投縣的日月潭等地，都是適合欣賞螢火蟲的地點。每逢春末夏初，螢火蟲大量出

現的時節，各縣市都會舉辦活動，邀請各地遊客前來賞螢，一同慶祝呢！

如果你也想加入賞螢的行列，幾件事情一定要注意：請穿著長袖衣褲，避免蚊蟲叮咬；不可以穿拖鞋，免得被蛇咬傷；天剛暗下的黃昏時分，螢火蟲的活動力最旺盛，九點以後發光的情形就會減少。此外，請不要使用手電筒或閃光燈，免得打擾到螢火蟲的交配，更不可以把牠們抓回家，如此一來，我們才能將螢火蟲的美好，在這塊土地上繼續保持下去，讓世世代代的子孫都看得到。

文化藏寶圖

【螢火蟲的光會不會燙傷人？】

螢火蟲的發光位置在牠的尾部，稱做「發光器」，裡頭滿布許多含磷的「發光質」及一種「發光酵素」。「發光質」經過「發光酵素」的催化，會產生一連串的氧化學反應，發出光芒，而經過這個作用產生的，是一種「冷光」，因此就算你不小心碰到，也不會灼傷。

分布區域 ● 中低海拔的平原及丘陵地
代表種類 ● 臺灣梅花鹿

瀕臨絕種的梅花鹿

溫馴的梅花鹿是凶猛鯊魚的後代？

氣候溫和的臺灣，沒有凶猛的老虎，自古以來就是鹿的天堂，更被視為鹿的國度。在四百年前，西班牙人、荷蘭人、漢人等殖民者登陸之前，全島各地經常可以看見野鹿。牠們成群結隊，在遼闊的平原上、翠綠的山林間，時而奔馳跳躍，時而啜水歇息，真是自由自在！

這兒的鹿，長相非常漂亮，苗條的身形、壯觀的茸角、金黃的毛皮……不過，牠們最具特色的，還是身體上的白色斑點，遠遠看去像是朵朵綻放的粉嫩梅花，因此被稱為「梅花鹿」。

梅花鹿的長相實在太特別了，又只有在臺灣才能看見，讓大家不禁對牠的來歷感到好奇。關於牠的身世，有人言之鑿鑿：「別以為梅花鹿溫和馴良，你就去惹牠！牠們是海中鯊魚的化身，美麗的外皮下有著凶狠的個性，一旦你冒犯了牠們，就會招來鯊魚的殘忍報復。」

然而，從來都沒有人親眼看見過鯊魚變身梅花鹿，便懷疑起這種說法來：「你說，梅花鹿是鯊魚的化身，有證據嗎？」被質疑者於是

回答：「你瞧！一般的鹿身上不會有白色的斑點，這奇怪的斑紋分明和鯊魚身上的一模一樣，大概是法力不夠所留下的證據吧！」被這麼一說，大家對梅花鹿便多了幾分敬畏了。

除此之外，對於原住民而言，梅花鹿更是山野中的帶路使者。每次有人打獵走失，總會在森林裡看見梅花鹿。據說，迷路的獵人只要跟著牠行進，就可以不被山裡的精靈所迷惑，安全的走出森林。

有一回，某個泰雅族的年輕人，尾隨著一頭梅花鹿在山林間穿梭，不知道追了

多久，竟然在群山之中發現了發出七彩光芒的美麗湖泊。這座湖泊便是中央山脈裡，臺灣最大的高山湖泊，也是鹿群們喜愛的棲息地「七彩湖」。

種種奇妙的傳說故事，讓鹿和臺灣島上的人和平相處了許多年頭，直到歐洲人的到來。荷蘭人與西班牙人，認為這些鹿的傳說都是無稽之談，只有白花花的銀兩最實在。當他們乘著帆船，登上這座島嶼，便被眼前群鹿飛奔的景象給震懾住了。

表面上，這些人發呆了好一會兒，因為梅花鹿的美麗，驚豔得說不出話來；實際上，他們的內心已經開始盤算，如何捕捉、屠殺牠們，將鹿茸與毛皮銷售到世界各國，好換取金銀財寶。數著一頭又一頭的野鹿，他們心裡響起了金幣碰撞發出的清脆聲響，這些人相信鹿群是臺灣取之不盡、用之不竭的財源，捕捉牠們更是天賜的無本生意。

荷蘭人讓臺灣的居民以鹿皮繳稅，再販賣到海外牟利，最高每年可輸出

十五萬張鹿皮，獲利相當驚人。而可憐的梅花鹿，從此以後便開始了被追捕、屠殺的命運。從荷蘭、明鄭、清朝到日本殖民時代，這樣的情況都沒有改變。美麗的梅花鹿，也就在人類的貪婪下，愈來愈稀少。到了公元一九六九年之後，野生梅花鹿便在臺灣徹底絕跡了。

等到一九八四年之後，墾丁國家公園才開始推動臺灣梅花鹿的復育計畫。他們在園區內設置了適合梅花鹿生存的空間，再以臺北動物園提供的

二十六隻梅花鹿進行繁衍。這項工程執行到今天已經超過二十年了，而梅花鹿的數量也增加到三百頭左右。因此，現在我們所見到的梅花鹿，都是經過人工繁殖、飼育的，而不是自然野生的。

儘管，現在的臺灣是個工業化島國，早已經不適合梅花鹿居住了。然而，在許多人的心裡，還是有一個願望，那就是，有一天鹿群可以重新在這塊土地上奔馳，和人類和諧生活，讓臺灣重新成為梅花鹿的天堂。

文化藏寶圖

【搶救臺灣野生動物】

因為人口的增加、工業的發達，野生動物的棲息地不斷縮小，再加上不正確的食補、放生觀念，讓許多野生動物都遭遇到生存的威脅。在臺灣梅花鹿之後，櫻花鉤吻鮭、臺灣黑熊、藍腹鷴等，也都面臨將在地球上消失的命運。為了搶救牠們，政府已經制定了「野生動物保護法」，嚴格禁止不當的捕殺。當然，這還是需要大家的配合，不去食用保育類動物，一同來愛護這塊土地上的好朋友。

見證臺灣伐木史的油桐花

分布區域：各縣市中低海拔山區

代表種類：千年桐、三年桐

五月的臺灣會下雪嗎？

亞熱帶的臺灣一年四季都非常溫暖，很難看到下雪的美景，即使是在冬天，也只有一些海拔較高的地區才有下雪的可能。然而，在中部的山區森林裡，每年春夏之交，都會下起一場又一場浪漫的五月雪。輕柔的雪花，在風中盤旋飛舞、緩緩降落，像童話一般不可思議。信手從衣襟拈一朵來端詳，才知道沾在衣服上的不是雪花，而是潔白可愛的小小油桐花。

油桐並不是原本就生長在臺灣的，它原來的產地是中國長江流域，到了日治時代才被引進種植。而現在滿山遍布的油桐樹，其實是一個美麗的錯誤

造成的！故事得從日治時代開始說起……

日本政府統治臺灣以後，派了許多科學家深入臺灣各地，進行詳細、徹底的地理調查。公元一九〇三年，科學家河合博士奉命來探查臺灣山林。他跋山涉水，克服重重危險，到了當時只有原住民活動的深山裡。他發現，這些漢人到不了的臺灣高山，因為交通不便的限制，還保持著最原始的森林生態，真是木材的藏寶地，處處都是上千年、上百年的參天巨木。

河合博士於是上奏日本天皇，建議在臺灣發展伐木業。為了將巨大的木頭搬運下山，日本政府還斥資建造了十分先進的山林火車。當噴著蒸氣的小

火車，行駛在曲折的山巒間，雖是空著車廂駛進山裡，但是出來時早已滿載著被砍斷的木材了。就這樣，八仙山、太平山、阿里山、林田山等山區，在短短幾年之間，都成了東南亞數一數二的伐木重鎮。

伐木工業的這種盛況，一直持續到國民政府光復臺灣之後，努力拼經濟的一九七〇年代。當時的日本只要是製造家具，就會使用梧桐木來當抽屜板的材料，對梧桐木的需求量很大。業者也因此大量種植梧桐樹，等

樹長成再砍下來，販賣到日本。因為利潤很不錯，訂單也就愈接愈大。

但是，不幸的事情降臨了！一種叫做「天狗巢」的怪病突然蔓延開來，島上的梧桐樹幾乎無一倖免。眼看著來自日本的訂單快要到期，卻沒有木材可以交貨，業者都急壞了，只好瞞著日本人，偷偷的商討著因應對策。

會議間有人提議：「雖然梧桐樹都生病了，但是油桐樹不會被感染，長得跟梧桐木也很像。我看，這陣子我們先用油桐木來度過難關吧！」這似乎是唯一的解決辦法，眾人也就欣然同意，他們彼此約定，絕不能將這個祕密透露給日本人知道。

很幸運的，用「油桐」換「梧桐」的勾當，剛開始並沒有被發現，勉強度過了難關，讓大家鬆了一口氣。但是有了這次的經驗，不肖的商人們卻食髓知味。他們開始大量種植成本低廉、生長快速的油桐樹，然後假冒成高價的梧桐木，傾銷給日本，從中獲取暴利。

有句俗諺說：「瞞得了一時，瞞不了一世。」偷天換日的祕密，沒多久就被日本人識破了。日本不但退還了大部分的油桐木，連購買梧桐木的數量也大大減少。失去利用價值的油桐樹，身價從此暴跌，但是也因禍得福，免於遭砍伐的命運，在山裡恣意的繁衍、生長。幾十年下來，就成為臺灣山林最常見的植物之一了。

油桐是落葉性喬木，就算是在乾旱或貧瘠的土地上也能生存。而因為它生長的地區，多半是客家族群居住

的山地，因此它強韌的生命力，又跟「硬頸（客語倔強的意思）」的客家精神不謀而合。到了今日，大家也就把油桐花視為客家人的精神象徵了。

現在，每年四到五月，油桐花季來臨期間，我們都可以在許多山間小徑，看到花如雪落的美景。約莫十公尺高的樹幹上，盛開的小白花，只需微風輕拂，朵朵白花就會迎風落下，如白雪一般覆蓋在大地上，讓人彷彿置身雪國之中。下回你到山裡走走時，別忘了和美麗的油桐花來場邂逅喔！

文化藏寶圖

【欣賞油桐花的小祕訣】

想要感受滿天飛絮、花飛滿天的情景嗎？那你一定得當早起的鳥兒，要是賴床睡晚了，花朵都落光了，可是會望著滿地春泥空興嘆唷！此外，下過雨的次日不適合賞油桐花，過三天後再去會比較適合。而每到油桐花季，許多鄉鎮都會提供賞花專車，只不過真正美麗的油桐花美景，往往只在人跡難至的山林古道裡。切記還是多走點路、流點汗，油桐花才會靜靜的盛開，等著你來訪呢！

國家圖書館出版品預行編目資料

走進寶島看臺灣 ： 文化藏寶圖 / 陳馨儀作 ;
珈米, 奇兒繪圖. -- 修訂再版. -- 新北市 : 人類,
2012.11
面 ； 公分
ISBN 978-986-413-683-4 (精裝)

1. 人文地理 2. 臺灣文化 3. 民間故事

733.4 101020888

走進寶島看臺灣

文化藏寶圖

發行人 桂台樺
作　者 陳馨儀
繪　圖 珈米、奇兒
執行主編 陳湄玲
特約文編 陳蕙欣、張裴容
美術編輯 林佑峻
封面設計 黃馨玉
人類智庫網 http://www.humanbooks.com.tw
郵撥帳號 01649498 人類文化公司

公司創立 1979年2月22日
出版發行 人類文化事業股份有限公司
公司地址 新北市新店區民權路115號5樓
公司電話 (02)2218-1000
公司傳真 (02)2218-9191
客服信箱 service@humanbeing.com.tw
客服電話 (02)2219-6181
書店經銷 聯合發行股份有限公司
經銷電話 (02)2917-8022

修訂再版 西元2012年11月5日
定　價 新台幣280元